La comtesse de Merlin
de Jacques Hébert
est le sept cent quatre-vingt-cinquième ouvrage
publié chez
VLB ÉDITEUR.

La collection « Roman »
est dirigée par Jean-Yves Soucy.

D1319242

VLB éditeur bénéficie du soutien de la Société de développement des entreprises culturelles du Québec (SODEC) pour son programme d'édition.

Gouvernement du Québec – Programme de crédit d'impôt pour l'édition de livres – Gestion SODEC.

Nous reconnaissons l'aide financière du gouvernement du Canada par l'entremise du Programme d'aide au développement de l'industrie de l'édition (PADIÉ) pour nos activités d'édition.

Nous remercions le Conseil des Arts du Canada de l'aide accordée à notre programme de publication.

LA COMTESSE DE MERLIN

DU MÊME AUTEUR

Autour des trois Amériques, Montréal, Beauchemin, 1948.

Autour de l'Afrique, Montréal, Fides, 1950.

Aïcha l'Africaine, contes, Montréal, Fides, 1950.

Aventures autour du monde, Montréal, Fides, 1952.

Nouvelle aventure en Afrique, Montréal, Fides, 1953.

Coffin était innocent, Montréal, Éditions de l'Homme, 1958.

Scandale à Bordeaux, Montréal, Éditions de l'Homme, 1959.

Deux innocents en Chine rouge, en collaboration avec Pierre Elliott Trudeau, Montréal, Éditions de l'Homme, 1960 ; *Two Innocents in Red China*, Toronto, Oxford University Press, 1968.

J'accuse les assassins de Coffin, Montréal, Éditions du Jour, 1963 ; *I Accuse the Assassins of Coffin*, Montréal, Éditions du Jour, 1964.

Trois jours en prison, Montréal, Club du Livre du Québec, 1965.

Les Écœurants, roman, Montréal, Éditions du Jour, 1966 ; *The Temple on the River*, Montréal, Harvest House, 1967.

Ah! mes Aïeux!, Montréal, Éditions du Jour, 1968.

Obscénité et Liberté, Montréal, Éditions du Jour, 1970.

Blablabla du bout du monde, Montréal, Éditions du Jour, 1971.

La Terre est ronde, Montréal, Fides, 1976 ; *The World is Round*, Toronto, McClelland & Stewart, 1976.

Faites-leur bâtir une tour ensemble, Montréal, Éditions Héritage, 1979 ; *Have Them Build a Tower Together*, Toronto, McClelland & Stewart, 1979.

L'Affaire Coffin, Montréal, Domino, 1980 ; *The Coffin Affair*, Don Mills, General Publishing, 1981.

Le Grand Branle-bas, en collaboration avec Maurice-F. Strong, Montréal, Les Quinze, 1980 ; *The Great Building-Bee*, Don Mills, General Publishing, 1980.

La jeunesse des années 80 : état d'urgence, Montréal, Éditions Héritage, 1982.

Voyager en pays tropical, Montréal, Boréal Express, 1984 ; *Travelling in Tropical Countries*, Edmonton, Hurtig Publishers, 1986.

Trois semaines dans le hall du Sénat, Montréal, Éditions de l'Homme, 1986 ; *21 Days – One Man's Fight for Canada's Youth*, Montréal, Optimum Publishing, 1986.

Yémen – Invitation au voyage en Arabie Heureuse, Montréal, Éditions Héritage, 1989 ; *Yemen – An Invitation to a Voyage in Arabia Felix*, Montréal, Heritage Publishing, 1989 ; *Jemen – Einladung zu einer Reise nach Arabia felix*, Ottawa, Azal Publishing, 1989.

Deux innocents dans un igloo, Montréal, Héritage Jeunesse, 1990.

Deux innocents au Mexique, Montréal, Héritage Jeunesse, 1990.

Deux innocents au Guatemala, Montréal, Héritage Jeunesse, 1990.

Deux innocents en Amérique centrale, Montréal, Héritage Jeunesse, 1991.

Bonjour, le Monde!, Montréal, Éditions Robert Davies, 1996 ; *Hello, World!*, Montréal, Robert Davies Publishing – Talonbooks, 1996.

Duplessis, non merci!, Montréal, Édition du Boréal, 2000.

Katima… quoi?, Montréal, Cosmopolite Communications, 2001 ; *Katima… what?*, Montréal, Cosmopolite Communications, 2001.

En 13 points Garamond, Trois-Pistoles, Éditions Trois-Pistoles, 2002.

Bonjour, Cuba!, Montréal, Éditions Méridien, 2003 ; *Good Morning, Cuba!*, Montréal, SIAP Publishing, 2003 ; *¡Buenos dias, Cuba!*, La Havane, Editorial Pueblo y Educación, 2003.

Jacques Hébert

LA COMTESSE DE MERLIN

roman

vlb éditeur

VLB ÉDITEUR
Une division du groupe Ville-Marie Littérature
1010, rue de La Gauchetière Est
Montréal (Québec) H2L 2N5
Tél.: (514) 523-1182
Téléc.: (514) 282-7530
Courriel: vml@sogides.com

Maquette de la couverture: Louise Durocher

DISTRIBUTEURS EXCLUSIFS:

• Pour le Québec, le Canada
et les États-Unis:
LES MESSAGERIES ADP*
955, rue Amherst
Montréal (Québec) H2L 3K4
Tél.: (514) 523-1182
Téléc.: (514) 939-0406
*Filiale de Sogides ltée

• Pour la Belgique et la France:
Librairie du Québec / DNM
30, rue Gay-Lussac
75005 Paris
Tél.: 01 43 54 49 02
Téléc.: 01 43 54 39 15
Courriel: liquebec@noos.fr
Site Internet: www.quebec.libriszone.com

• Pour la Suisse:
TRANSAT SA
C.P. 3625
1211 Genève 3
Tél.: 022 342 77 40
Téléc.: 022 343 46 46
Courriel: transat-diff@slatkine.com

Pour en savoir davantage sur nos publications,
visitez notre site: **www.edvlb.com**
Autres sites à visiter: www.edhomme.com • www.edtypo.com
• www.edjour.com • www.edhexagone.com • www.edutilis.com

À Jeanne,
ma petite princesse

Avant-propos

On peut s'étonner que l'histoire extraordinaire de la comtesse de Merlin (1789-1852) soit racontée avec autant de verve et d'érudition par une ancienne esclave venue d'Afrique.

Avant d'être esclave dans la plantation du père de la comtesse, près de La Havane, Cangis avait été reine d'un vaste royaume au Congo, en Afrique équatoriale. Femme exceptionnelle dans son pays, elle l'est restée à Cuba, où sa forte personnalité attira l'attention de ses maîtres. Elle quitta bientôt les misères de la canne à sucre pour devenir l'esclave d'une charmante enfant de douze ans, Mercedes, future comtesse de Merlin.

À partir de ce jour, elle a vécu dans l'ombre d'une autre femme exceptionnelle... à qui elle enseigna la grammaire espagnole et, plus tard, la grammaire française !

À n'en pas douter, Cangis avait le don des langues : en plus de l'espagnol et du français, elle a appris un peu d'italien et parlait couramment six des principales langues du Congo... certaines aussi différentes que l'anglais de l'arabe ! Elle possédait un sens de l'observation peu commun et, plus rare encore pour une esclave, vouait à l'histoire universelle une véritable passion.

De 1802 à 1813, Cangis vécut à Madrid dans la famille de sa jeune maîtresse, dont elle était moins l'esclave que la préceptrice, la confidente et bientôt la meilleure amie. Une famille noble, proche du roi Charles IV, puis de Ferdinand VII jusqu'à l'arrivée de Joseph Bonaparte sur le trône, conséquence de la conquête de l'Espagne par son jeune frère Napoléon.

Cangis se rend compte qu'elle assiste, aux premières loges, à des événements historiques majeurs qui bouleversent le monde. Elle a alors l'heureuse idée d'écrire une sorte de journal où elle parle surtout de sa chère Mercedes et des situations mémorables vécues avec elle et grâce à elle.

À la fin du récit, Cangis affirme n'avoir jamais eu l'intention de le faire publier un jour sous forme de livre. Cependant, elle a la faiblesse d'en prêter le manuscrit, à sa demande pressante, à un ami du monde de l'édition, un certain Julien Delrue, lecteur à la Librairie d'Amyot, éditeur parisien de *La Havane*, important ouvrage de la comtesse auquel Cangis a collaboré activement. Delrue veut à tout prix publier le «journal» de Cangis, qui lui impose une condition formelle : «Pas avant la mort de tous les personnages dont je parle. Moi comprise!»

La comtesse de Merlin meurt assez tristement en 1852, alors que Cangis, en excellente santé, ne paraît pas ses soixante-dix ans et vivra encore de longues années.

Un siècle et demi plus tard, un descendant de Julien Delrue retrouve le manuscrit de Cangis au fond d'une vieille malle en osier... Et voilà!

Première partie

LA HAVANE (1789-1802)

Les douze premières années

1

La longue marche

Je m'appelle Cangis, une esclave parmi les trois cent vingt-six appartenant à Don Joaquin de Santa Cruz y Cárdenas, un comte, paraît-il. Tu parles si ça m'impressionne! Avant d'être esclave à Cuba, j'étais reine d'un merveilleux royaume, par-delà les mers, au Congo. La reine Cangis. Ainsi m'appellent toujours les esclaves de la plantation de canne à sucre de Don Joaquin, avec une sorte de respect que ne mérite pas l'esclave absolue que je suis.

Dans mon doux royaume, on accorde la royauté à la plus belle de toutes les femmes. C'est assez compliqué. Chaque famille, chaque village, chaque tribu pousse sa candidate, proclame sa suprême beauté dans des palabres sans fin, pas toujours aimables, ou dans le crépitement des tam-tam qui font frémir nos chaudes nuits en annonçant les bonnes et les mauvaises nouvelles.

Parfois, je crois entendre murmurer mon nom, ça m'excite un court instant. Je taquine Akinoké, mon fiancé: «Tu entends? Peut-être suis-je la plus belle du royaume… et la plus belle est à toi!» Je suis sans illusions: il y a des milliers de très belles femmes dans ce Congo béni des dieux!

Arrive enfin le jour où les sages du royaume, pour la plupart de vieux chnoques ratatinés, se réunissent sous le baobab sacré pour annoncer au peuple le nom de sa nouvelle reine: «Cangis! Cangis! Cangis!»

Je manque m'évanouir! Non de joie mais de peur: sont jamais heureuses les reines, depuis longtemps je sais ça!

Ma première tâche: choisir un époux qui aussitôt deviendra roi… même s'il est l'homme le plus mal fait du royaume! Rien à craindre: je proclame roi mon bel amant, Akinoké… qui s'en est allé se cacher dans une case abandonnée, craignant fort que, devenue reine, je ne lui préfère un mari plus riche et plus beau. Plus riche, ça aurait pu se trouver, mais plus beau…

Bien accueilli par les femmes, mon choix l'est fort mal par les hommes: ils trépignent en hurlant leur déception amère.

«Silence! Et trouvez-moi Akinoké au plus coupant!»

Aïe! Je viens de donner un ordre, et sec! Comme si j'avais fait ça toute ma vie! On s'habitue plus vite à être maître qu'esclave…

Mon palais est une immense case ronde, la plus vaste du royaume. À se demander où l'on a trouvé les trente-huit interminables palmiers dont les troncs supportent le toit en cône, recouvert du feuillage d'une palmeraie entière.

Une haute clôture de bambou jaune or encercle la case royale et la protège des visiteurs intempestifs: quémandeurs insatiables, belles-mères fouineuses, enfants criards, petits animaux affamés et puants. On pénètre dans l'enceinte du palais par une seule ouverture, bien gardée par deux immenses soldats (très beaux) de ma garde personnelle, armés de fines lances terminées par un fer à crochets, fort ingénieux, conçu pour les étripages extrêmes. Bref, c'était moins tape-à-l'œil que le Palacio de los Capitanes Generales à La Havane, mais ça me convenait tout à fait, ainsi qu'au roi Akinoké…

Il s'est vite accoutumé à régner à mes côtés. Quand même mieux que de passer sa journée au soleil à pêcher des poissons si fluets qu'il avait du mal à les vendre au marché. Akinoké est beau, intelligent, fort, mais sans talent pour la pêche et le travail en général : il fera un bon roi !

Ah ! la belle vie ! Chaque jour, des chefs de tribus ou de villages viennent se prosterner à nos pieds, les uns pour solliciter une petite faveur, les autres pour offrir une calebasse de vin de palme, une poule, trois œufs… quitte à revenir plus tard pour demander une vraie grosse faveur !

D'un jour à l'autre, on apprend le métier, on devient majestueux, condescendant, un brin méprisant… Faut se méfier, sans quoi on finit par virer tyran, comme il arrive, hélas ! à tant de monarques ! Nous, on n'a pas eu le temps…

Quelques lunes après mon couronnement, déjà enceinte de six mois, je pars avec mon roi tant aimé pour aller défendre le royaume contre les attaques d'une tribu ennemie.

Akinoké est brave et aussi cruel qu'il faut être à la guerre. À grands coups de lance, à lui tout seul il éventre une bonne douzaine de ces voyous, les tripes s'accrochent aux hameçons de son fer de lance, se répandent partout autour, comme d'interminables serpents verdâtres, dégoulinant de sang.

Une fois ou deux, je réussis à ouvrir le flanc d'un grand Nègre enragé fou. Pas très correct pour une reine… Alors, ma lance à bout de bras, je me contente de faire de vigoureux moulinets, ce qui suffit à écarter les assaillants.

Ma première guerre va plutôt mal : les uns après les autres, je vois choir, troués, transpercés, crevés, presque tous les hommes de la garde royale, mon père, mes deux frères, mes cousins… Finalement, mon bien-aimé Akinoké s'écroule à mes pieds. Je m'allonge sur son corps superbe, mouillé de sueur et de sang, attendant de mourir sous la lance en même temps que mon enfant à naître.

La bataille a duré à peine deux heures, mais quelle innommable boucherie ! Inutile, absurde, folle : d'un côté et de l'autre, on ne saura jamais pourquoi, au juste, on s'était battus ! Comme dans toutes les guerres…

Ongamey, le roi de la tribu ennemie, m'épargne. Pas parce que je suis reine, oh non ! Ma beauté, peut-être, et le petit esclave en puissance que je porte dans mon ventre augmentent ma valeur sur le marché des esclaves, ultime destin des vaincus.

Après nous avoir fait attacher par le cou, et par trois, à de lourds carcans en bois, et enchaîner au moyen de fers aux pieds, Ongamey nous conduit jusqu'à la mer, à dix jours de marche. Au bout de la première journée, nous avons tous des blessures au cou et aux chevilles. Alors, arrivent les moustiques, que suivront bientôt les vers annonciateurs de gangrène. Nous avons toujours faim et soif. Quelques rares ruisseaux nous sauvent la vie : on s'y laisse tomber à la fois pour se rafraîchir, se reposer et boire, boire, boire… Les plus audacieux attrapent un fruit en frôlant un arbre et, le soir, nos gardes nous servent un brouet pourri, noir comme de la boue.

Plus de trois cent cinquante hommes, femmes et enfants dans notre titubant cortège, chaîne humaine qui, chaque jour, s'allège de trois ou quatre maillons : les moins forts crèvent d'épuisement, déjà guettés par les patients charognards qui volent au-dessus de nos têtes.

«La mer! La mer!» se mettent à hurler ceux qui, les premiers, sans rien voir, ont su humer les effluves des algues échouées sur la grève. En pleine nuit, les quelque deux cent quatre-vingts survivants de cette marche de la mort s'arrêtent enfin et s'écroulent devant une immense baraque sans fenêtre, un *barracón*. On nous enlève les carcans, mais non les fers aux pieds, avant de nous pousser à l'intérieur par l'unique porte, aussitôt refermée et cadenassée.

2

En attendant le capitaine Douglas

Après les misères des dernières semaines, le *barracón* situé sur la côte nous enchante. Sans carcan, on se sent presque libre, on a l'impression de flotter… Mais la fatigue accumulée nous plonge vite dans une sorte de torpeur, puis dans un sommeil malaisé, souvent interrompu par les mouvements et les plaintes de cette masse d'êtres humains empilés les uns sur les autres, comme des langoustes dans un panier.

Les jours s'écoulent à la goutte. On entend, on sent la mer toute proche sans la voir… sauf par un trou discret percé dans un des murs en feuilles de palmier tressées. Jour et nuit, un guetteur regarde du côté de l'océan et nous chante les rares nouvelles : une volée de cormorans, une éruption de poissons de mer, une pirogue, deux pirogues… Chacun espère être celui qui le premier apercevra les voiles du navire du capitaine Arthur Douglas Stone, dont nos gardiens nous disent le plus grand bien : un ancien pirate anglais devenu honnête commerçant spécialisé dans le Nègre du Congo. Muni d'une licence du roi d'Espagne, il vend sa marchandise dans les Caraïbes, aux plus offrants, ces temps-ci aux

Cubains à l'industrie sucrière en plein essor, grâce justement à l'arrivée constante d'une main-d'œuvre gratuite.

Vivre à près de trois cents dans une sorte de grange sans pouvoir en sortir, dormir pêle-mêle à même le sol en terre battue, survivre avec la poignée de manioc et les rares bananes vertes sacrifiées par les vainqueurs pour assurer la survie de leur précieux butin, ne jamais se laver ni laver son pagne, faire ses besoins dans un coin de la baraque, bref, un avant-goût de la traversée. Ne pouvant même imaginer les horreurs qui nous attendent en mer, nous nous mettons à rêver, comme à une délivrance, au superbe navire à voiles du capitaine Douglas, le *Freetown*. On en fait des chansons pour nous aider à dormir dans la nuit moite et de plus en plus pestilentielle.

Quand, au bout de cinq pénibles semaines, le guetteur aperçoit à l'horizon un grand oiseau blanc qui danse sur les vagues, les cris de joie explosent, remplissent la baraque, débordent dans les villages des alentours et, le vent aidant, vont peut-être caresser le bel oiseau.

Le capitaine Douglas a l'habitude de ces démonstrations puériles. Même, il les encourage pour que l'incroyable abomination du voyage grignote le plus lentement possible l'espoir d'un jour meilleur, cette lueur douteuse qui aide les désespérés à survivre. Or, tout négrier digne de ce nom sait qu'un esclave mort, fou ou malade ne vaut pas tripette.

Le navire jette l'ancre à bonne distance de la rive par crainte des récifs, mais aussi d'un abordage surprise par cent pirogues de Nègres en furie, récemment floués par un négrier sans conscience. Ça se trouve! Un grand canot manœuvré par douze rameurs emmène à terre le capitaine Douglas et trois de ses experts: d'un coup d'œil ils savent déceler le mal de poitrine, la lèpre appréhendée, la plus légère claudication. Ils font courir les esclaves, sauter, danser, chanter pour dégoter la moindre imperfection physique, une dent perdue en route, une jambe plus haute que l'autre, un doigt coupé…

Après des semaines de clair-obscur, nous avons du mal à garder notre équilibre, éblouis par le soleil du matin et le scintillement fébrile de la mer. À grands coups de fouet, nos gardiens raniment les plus faibles qui perdent connaissance, reprennent vie, reperdent connaissance…

Le capitaine Douglas a raison d'être prudent : le marché conclu, un négrier ne peut se faire rembourser la marchandise défectueuse. La loi, c'est la loi !

On me remarque : une des rares femmes du contingent, enceinte d'au moins huit mois et, j'en ai assez de le redire ! encore belle…

À la suite de longs marchandages avec le roi de la tribu victorieuse, donc propriétaire légitime des esclaves, le capitaine Douglas échange notre groupe contre soixante fusils, mille huit cents balles de plomb, vingt barils de poudre, une caisse de bijoux en verroterie, trente-cinq petites barriques d'eau-de-vie de canne à sucre et un certain nombre de barres de fer d'une cinquantaine de livres chacune, monnaie courante pour la traite des esclaves.

Alors, le roi Ongamey perce une barrique choisie au hasard pour trinquer avec le capitaine Douglas… et s'assurer que, pendant la traversée, des matelots assoiffés n'aient pas remplacé l'eau-de-vie par de l'eau de mer !

Juste avant de nous faire monter dans les pirogues par lots de six, on enlève nos fers ensanglantés ! À mi-chemin, quelques bons nageurs devenus hystériques plongent et regagnent la rive pour être aussitôt rattrapés, fouettés au sang et ramenés au navire.

Comme il n'y a que cinq pirogues, le transbordement s'étire tard dans la nuit. Tous, nous sommes émerveillés de la dimension du *Freetown*, mais on se demande tout de même comment pourront y loger les deux cent trente esclaves, sans parler de l'équipage : c'est compter sans l'admirable ingéniosité des Blancs...

3

L'infernale traversée

Depuis le fond de la cale jusqu'au pont supérieur du *Freetown*, on a réussi à aménager deux ponts complets d'une hauteur de trois à quatre pieds et deux entreponts formant mezzanines : incapables de se tenir debout, les esclaves demeurent couchés toute la nuit et une bonne partie de la journée, tassés au point de dormir sur le côté, dos à dos, enchaînés par deux au moyen de fers au cou. Pour aller faire ses besoins dans les seaux situés aux extrémités de chaque pont, on doit rouler à deux par-dessus les corps de plusieurs personnes, parfois une trentaine. Imaginons les inconvénients énormes de pareil système, et les mille disputes ainsi provoquées le jour, la nuit. Toujours nombreux, les esclaves affligés de dysenterie n'ont ni la force ni le temps d'entreprendre pareille expédition : ils souillent leur étroit espace vital, entraînant plus de chamailles et d'incommodité.

Au lever du soleil, on nous lance une galette dure comme de la roche. Un autre maigre repas au milieu de l'avant-midi et, à la fin du jour, un brouet d'igname ou de maïs et quelques gorgées d'eau. Si le capitaine Douglas est de bonne humeur et si la mer est belle, on fait monter les esclaves sur le pont : ils mangent au soleil en respirant l'air frais. Le bonheur ! Par mauvais temps, nous restons confinés dans la cale dont on ferme hublots et écoutilles. La puissante odeur s'exhalant des centaines de corps en sueur, des excréments et des vomissures donnent maux de tête et nausées, qui s'ajoutent aux maladies inévitables : malaria, dysenterie, scorbut et le diabolique trachome qui rend aveugle. Un esclave aveugle n'est pas mieux que mort : on le jette à la mer !

Au cours du voyage, plus de soixante esclaves perdent la vie ou deviennent si malades que l'équipage les sacrifie aux requins… pour protéger les autres ! Au moins quatre membres de ma tribu, habitués à la liberté dont ils jouissaient dans mon royaume, se suicident plutôt que de continuer à vivre comme des bêtes. Je les ai vus, enchaînés par deux, se jeter à la mer, le sourire aux lèvres. Volontiers, je les aurais accompagnés si le petit être qui grouille dans mon ventre ne m'en avait enlevé le droit.

Pour briser la monotonie du voyage, deux effroyables tempêtes, dont nous souhaitons tous qu'elles engloutissent le *Freetown* et enfin nous libèrent ! Roulis et tangage sont d'une telle puissance que les corps, même enchaînés par deux, roulent les uns par-dessus les autres dans un enfer de hurlements : des centaines de gros vers huileux, baignés de sueur pourrie, d'urine et de sang, s'emmêlent dans un fouillis inimaginable ! La tempête finie, il faut des heures de remue-ménage au milieu des cris des blessés et de l'inévitable flot d'injures avant que chacun ne retrouve sa place.

Enfermées à part, dans un cachot grillagé, les vingt-six femmes subissent moins d'outrages et de violences.

Sans fers au cou, nous pouvons nous mouvoir plus aisément que les hommes, sans toutefois nous lever, la pièce faisant à peine quatre pieds de hauteur. Par contre, on ne nous laisse pas sortir sur le pont avec les hommes. Par beau temps, on ouvre une large fenêtre sur la mer dont nous séparent de solides barreaux de fer.

Pourquoi ce traitement de faveur ? Pour nous protéger, selon le capitaine Douglas, de l'appétit des hommes ! Cela n'a pas empêché toutes les femmes d'avoir été plusieurs fois violées par les matelots. Toutes, sauf la très vieille Fantana et moi, protégée par mon ventre énorme et ma qualité de reine : mes vingt-cinq compagnes écharperaient quiconque oserait porter la main sur moi.

L'affection de ces femmes, que sans ces terribles événements je n'aurais sans doute jamais connues, me touche au fond du cœur, m'aide à vivre. Par gros temps, elles m'entourent et m'empêchent de rouler sur le ventre…

À la suite de la deuxième de ces formidables tempêtes, quasi-ouragans, j'éprouve les premières douleurs de l'enfantement. En travail un jour entier, je pense bien mourir d'épuisement avant l'arrivée de l'enfant. Mes compagnes se relaient auprès de moi, m'encouragent, me rafraîchissent avec l'eau de leur chiche ration, épongent mon corps ruisselant au moyen de leur seul vêtement : un bout de tissu autour des reins. Bref, je n'aurais pas été mieux soignée dans mon palais où j'aurais dû subir les simagrées et boire les inquiétants breuvages des sorciers officiels !

Un fils ! J'en étais sûre. Avant même la délivrance, je l'appelle Akinoké, comme son père… à qui ne ressemble guère cette petite chose noire ratatinée! Mais c'est un prince! «*Alkana-a! Al-kana-a*!*»

La nouvelle se répand dans tout le navire et réchauffe le cœur de ces centaines de malheureux qui y voient un bon augure. Ils n'ont pas tort: le matin du troisième jour de la vie de mon fils, une rumeur s'insinue dans tous les coins et recoins les plus sombres du *Freetown*: resplendissante, splendide, l'île de Cuba vient de surgir à l'horizon. Les sans-espoir se remettent à rêver, incorrigibles…

Encore des cris de joie pour saluer La Havane, à l'approche du Castillo del Morro, construit il y a quelques siècles pour protéger l'entrée du port des pirates… et permettre l'arrivée en douce des navires négriers!

Après avoir accosté avec assurance et grâce, le capitaine Douglas donne l'ordre de débarquer les esclaves toujours enchaînés comme des bêtes sauvages ne songeant qu'à fuir… Pour aller où, j'aimerais bien savoir? Affamés, amaigris, malades, sales et presque nus, nous rêvons cruche d'eau et boule de manioc… D'abord, faut nous compter et recompter en présence de soldats espagnols, responsables des esclaves jusqu'à leur achat par un planteur ou un fonctionnaire du roi.

Mon frêle Akinoké retenu à mon dos par un lambeau d'étoffe, je marche avec les autres jusqu'à une fontaine où nous pouvons nous rafraîchir, sinon nous laver. Impossible d'expliquer le bonheur de l'eau fraîche à qui n'a pas été en enfer!

---

* «Mon fils! Mon fils!» dans la langue des Carabalis, tribu du Congo.

Le capitaine Douglas accompagne la dolente colonne jusqu'au marché aux esclaves dans un cliquetis de chaînes qui rythme – ô incroyable résistance de la bête humaine! – les vieilles complaintes du Congo perdu.

On s'arrête enfin sur une petite place, depuis tant d'années piétinée par des dizaines de milliers d'esclaves que pas un brin d'herbe n'ose y pousser. Pipe au bec, les acheteurs attendent en discutant de la prochaine récolte de café ou de canne à sucre. Les esclaves enfin disposés sur trois rangs, ils viennent nous examiner, même nous tâter comme on fait au marché avec les melons… Un homme jeune, pas très grand, pas très beau, s'arrête devant moi et me regarde avec une certaine insistance. J'ai l'habitude! J'ai l'air de lui plaire, mais l'intéresse aussi l'enfant accroché à mon dos. «Dans quelques années, doit-il se dire, ça me fera un esclave de plus!» Il s'agit de mon futur maître, Don Joaquin. En homme d'affaires, il négocie serré avec le capitaine Douglas:

«Capitaine, vous voyez bien que cet enfant n'est pas viable. Il respire à peine… Des ennuis, des ennuis…»

À leur air, j'imagine la conversation sans comprendre un traître mot de cette langue maudite que je me suis juré d'apprendre. Plus tard, je finis par savoir que Don Joaquin de Santa Cruz y Cárdenas m'a payé beaucoup plus cher que les esclaves de mon âge. La dernière coquetterie de ceux qui ont perdu jusqu'à leur âme: le montant plus ou moins élevé qu'ils ont coûté au maître!

Le *mayoral* de Don Joaquin, un Blanc, sorte de contremaître tout pouvoir et méchant par définition, attend sur sa mule le moment de conduire à la plantation de canne à sucre un nouveau stock d'esclaves tout frais: douze en tout, Akinoké inclus! Coiffé d'un chapeau de paille aux larges bords, le *mayoral* prend la tête de la colonne. Son assistant, le *contramayoral*, mulâtre me semble-t-il, ferme la marche, monté lui aussi sur une mule. Muni d'un long fouet, il le fait claquer pour ramener dans le rang ceux qui, à bout de forces, se laissent choir un moment pour reprendre haleine ou pour crever. Clac! Clic-clac! Cloc! Ça réveille…

À la fin du jour, en arrivant à la plantation de Don Joaquin, une petite joie: l'accueil chaleureux des esclaves, à peine rentrés des champs ou du moulin. Comme je parle six des innombrables langues du Congo, j'en apprends beaucoup sur ce qui m'attend demain… et le reste de mes jours!

Soirée mémorable: enfin nous laver, endosser un pagne propre offert par le *mayoral*, manger à notre faim. Comme je n'ai plus de lait, une jeune Négresse qui vient d'accoucher m'offre d'allaiter Akinoké le temps qu'il faudra.

Autour d'un feu, les anciens nous demandent des nouvelles de la tribu dont on les a arrachés il y a cinq, dix ans, davantage… Et ça finit par des chansons et des danses… comme si tout allait pour le mieux dans le meilleur des mondes!

4

Première rencontre avec Mercedes

Je dors enfin sur une natte propre, non pas dans le bâtiment commun, le *barracón*, mais, sans doute parce que je suis mère, dans une hutte minuscule appelée *bujío*, récemment libérée par Florida, vieille Négresse morte, selon les esclaves, d'avoir «trop regretté le Congo». Plusieurs fois je me réveille pour écouter respirer mon enfant malingre, encore mal accroché à la vie.

Ding, ding, dong! Il fait encore nuit, mais la cloche de la petite église de la plantation appelle les esclaves au travail… après cinq heures de sommeil! Elle sonnera l'heure des repas, de la sieste et, après le coucher du soleil, la fin du travail.

D'abord, on forme cercle autour du *mayoral*. Muni d'une lanterne qu'il approche de nos visages, le *contramayoral* crie le nom de chacun, le *mayoral* enregistre les présences dans son grand cahier. On défile ensuite devant le cabanon en planches où on remise, sous clé, les outils distribués le matin à chacun selon son travail. Le *contramayoral* note: «Pioche à Pepe! Machette à Oulof! Marteau à Maria!» Puis, il distribue les tâches: «Tu vas creuser canal! Toi, aux *secaderos*! Toi, aux *trapiches*! Toi, couper la canne!»

Pointée du doigt, je comprends devoir travailler dans un des moulins dits *trapiches* où on fait tourner de gros cylindres au moyen desquels on broie la canne à sucre pour en extraire le jus. Travail au-dessus des forces d'une femme qui doit allaiter un enfant, ça c'est sûr!

Tous les dimanches, on célèbre la messe dans la chapelle, collée à la maison des maîtres. Les esclaves sont tenus d'y assister, car si les Espagnols nous considèrent à peine comme des êtres humains, ils semblent croire que nous avons, comme ils disent, «une âme à sauver». Veux, veux pas! Ils interdisent la pratique de nos belles religions africaines sous peine de sévères punitions. Mais la nuit, quand les Blancs dorment…

Dans la chapelle, devant le maître-autel, quelques fauteuils bien rembourrés accueillent le *mayoral*, sa femme et sa fille, à l'occasion Don Joaquin et des membres de sa famille quand ils daignent s'absenter de leur palais de La Havane. Le reste des lieux est occupé par les esclaves, assis à même le sol, debout ou à genoux au signal de la claquette. Ça déborde jusque dans la cour.

Le père Antonio Jimenez y Alvarez, vieux franciscain à moitié à la retraite, aux trois quarts sourd et cent pour cent gâteux, est le curé de la plantation. Dans ce bien modeste oratoire, il se donne des airs d'évêque, tournoie, virevolte, les pans de sa chasuble de drap d'or s'étalent comme des ailes, aïe! il va s'envoler! Mais non. Il préfère allonger, étirer, délayer la grand-messe, l'écarteler comme sans doute il n'est pas permis! Quant au sermon, d'un dimanche à l'autre le même: le ciel, surtout l'enfer, et les sept péchés capitaux qui y mènent dare-dare. Et pour conclure, le père Antonio nous rappelle pour la millième fois cette recommandation de saint Paul aux esclaves de son temps :

« Esclaves, obéissez à vos maîtres d'ici-bas avec crainte et respect, en simplicité de cœur, comme au Christ* ! »

Après la messe, c'est pas fini. Épuisés, à jeun depuis la veille, faut encore se taper le catéchisme, dont le père Antonio connaît par cœur toutes les questions et toutes les réponses. À l'occasion, il parle un peu de l'Évangile... enfin, des pages qu'il veut bien nous révéler ! Les autres, il les cache avec soin de peur que nous y trouvions matière à condamner nos maîtres, voire à nous révolter.

Ayant vite appris l'espagnol, j'ai lu l'Évangile, plusieurs fois même, parce que Jésus me rappelle un sorcier de mon village natal au Congo, le vieux Bambora, toujours du côté des malheureux et des faibles. Au contraire, l'Évangile selon le père Antonio me semble destiné à protéger les riches, les puissants, les planteurs, les aristocrates. En l'écoutant discourir, je ne peux m'empêcher de m'insurger au fond de mon âme contre une religion qui bénit l'esclavage, suprême exploitation de l'homme par l'homme.

Où sont-ils donc, tous les pieux moines ? les moniales archivierges en orémus du matin au soir ? les évêques chamarrés et bénisseurs ? les rois qui se proclament très catholiques ? Où sont-ils donc quand ils devraient condamner la pire des infamies ? Ils ne manquent pourtant pas de verve quand il s'agit de fustiger la luxure et le vol ! Et le pape lui-même, là-bas à Rome, qui se tait ? Et leur Dieu qui sait tout, qui voit tout, qui

* Épître aux Éphésiens 6,2.

32

peut tout, pourquoi est-il du côté du capitaine Douglas, des *mayorales*, des comtes et des marquis?

Aussi longtemps qu'on n'aura pas répondu à ces questions, je resterai fidèle aux dieux de mon enfance : tout simples, tout noirs, tout nus, mais vrais!

Entre la messe et le catéchisme, selon la coutume, les esclaves ont le droit de s'approcher de Don Joaquin et de lui faire part de leurs doléances.

Ce jour-là, notre maître se trouve en compagnie de sa fille Mercedes, huit ans, peut-être neuf, fort belle et gentille : tous les esclaves l'adorent, c'est pas peu dire! Sans me douter que cette audace changerait ma vie, je traverse en courant le groupe des esclaves rassemblés qui s'écartent par égard pour leur «reine» Cangis, et je rejoins Don Joaquin, mon enfant dans les bras.

Souvent, par la suite, Mercedes me raconta l'incident qui l'a sûrement impressionnée puisqu'elle le relatera plus tard dans ses mémoires, en termes plus élégants que je ne saurais le faire :

«Un jour, à l'instant où mon père sortait de la chapelle, je vis s'élancer de la foule, qui s'écarta presque avec respect, une belle négresse, son enfant dans les bras. Sa taille élancée, son port majestueux et plein de noblesse prévenaient en sa faveur, et semblaient annoncer des habitudes de commandement plutôt que d'obéissance. Elle se prosterna aux pieds de mon père, et le supplia de lui accorder une grâce : sa demande se bornait à peu de chose. Destinée par le *mayoral* au service des *trapiches*, elle préférait et demandait avec instance celui des *secaderos*, où on fait sécher le sucre. Le premier était pénible et dépendant, au lieu que le second se réduisait à une surveillance paisible, quoiqu'il exposât ceux qui l'exerçaient aux ardeurs du soleil : le désir qu'elle manifestait pour ce changement était fondé sur l'intérêt de l'enfant qu'elle allaitait. Comme ces places étaient réservées aux femmes âgées ou faibles, mon père lui dit qu'elle n'était pas la seule qui eut un enfant dans l'habitation, et que, grande, forte et jeune, elle était destinée à des travaux plus actifs. Alors cette femme se relève, embrasse son enfant, et fond en larmes en prononçant ces mots : "Ma beauté et ma jeunesse faisaient naguère mon bonheur, pourquoi faut-il qu'elles fassent aujourd'hui ma misère ?" Une nuance de fierté perçait sous sa douleur. Ses larmes me touchèrent, et sautant au cou de mon père, je le conjurai de céder, son cœur fit le reste.

« La joie de la négresse fut aussi vive que l'avait été sa douleur, ou, pour mieux dire, ces deux sensations se confondirent ensemble ; car, tout en faisant des gestes expressifs de joie, ses larmes ne cessaient de couler, et sa physionomie passait subitement de l'expression de chagrin à celle du plaisir.

« L'extérieur de cette négresse était si peu en harmonie avec celui de ses camarades que mon père fit prendre des renseignements sur elle[1]... »

Et c'est ainsi que la famille de mon maître apprend mes origines royales. Ces aristocrates, très fiers de leur arbre généalogique qui les rattache à la plus vieille noblesse d'Espagne, doivent être un tantinet flattés de compter une reine, toute noire soit-elle, parmi leurs esclaves.

Hors l'avantage de travailler aux *secaderos*, je suis traitée comme les autres esclaves, ce qui me convient fort bien. J'aurais aimé revoir la mignonne Mercedes, dont le cœur tendre m'a obtenu une grande faveur, mais elle vient rarement à l'habitation et les chances de la rencontrer dans un *secadero* sont quasi nulles. Deux fois, je lui ai exprimé ma reconnaissance par l'entremise de Dolorès, sa vieille nourrice. Pas sûr que les messages se soient rendus à La Havane!

Quelques années plus tard, Mercedes fait une courte visite clandestine à son arrière-grand-mère maternelle, Maria Luisa Chacón, dont la plantation est contiguë à la nôtre. Mercedes éprouve une tendresse incommensurable pour cette aimable vieille qu'elle appelle Mamita et qui la gâte depuis son enfance. À un point tel que son père vient de lui interdire de fréquenter sa bisaïeule bien-aimée.

En revenant de cette escapade, le long du petit chemin qui relie la propriété de Mamita et celle de Don Joaquin, elle entend soudain des cris et des gémissements qui semblent monter d'épaisses bruyères protégées par des cactus agressifs. Morte de peur, Mercedes s'arrête un instant avant de sauter par-dessus les cactus en s'égratignant sérieusement les jambes… pour se retrouver devant moi, en pleine crise de désespoir, criant dans ma langue : «*Alkana-a! Alkana-a!*» Mon amour a tout fait pour lui donner goût à la vie mais en vain : il a fini par s'éteindre doucement, comme une petite lampe au bout de son huile. Je viens de l'enterrer derrière ma paillote, selon la coutume, dans la *tierra bendita*, la terre bénite, espace où les esclaves cachent leurs morts.

La douleur me fait perdre le contrôle de moi-même et je m'évanouis sur la terre molle dont j'ai recouvert le petit corps émacié. Affolée, la pauvre Mercedes se met à crier à son tour, mais qui peut l'entendre dans cette immensité de canne à sucre? Elle s'approche de moi et, m'ayant reconnue, me serre dans ses bras: «Cangis! Cangis! Petite reine, ne meurs pas!»

J'ouvre les yeux mais, étrangement, je continue de répéter «*Alkana-a! Alkana-a!*»... alors que je parle déjà assez bien l'espagnol!

En entendant au loin le trot d'un cheval, Mercedes comprend qu'on vient à sa recherche. Elle m'aide à rentrer dans ma paillote, à m'étendre sur une natte:

«Cangis! Il faut vivre! J'ai besoin que tu vives...»
Depuis le Congo, jamais encore je n'avais entendu paroles plus douces: un pâle sourire éclaire un instant mon visage et rassure Mercedes.

5

Histoires de famille

Le père de Mercedes, notre maître, Don Joaquin de Santa Cruz y Cárdenas, bientôt comte de Jaruco, était destiné à une vie brillante. À l'âge de quinze ans, amoureux fou, il épouse Maria Teresa Montalvo y O'Farrill, elle aussi de vieille noblesse espagnole et, bien sûr, d'une beauté incomparable. Elle a douze ans !

Mercedes, leur premier enfant, naît le 5 février 1789, la belle inoubliable année de la Révolution française. Le père a dix-huit ans, la mère en a quinze... Peu de temps après, Don Joaquin reçoit une lettre d'un oncle établi en Italie : il le fait son légataire universel et le prie de venir le voir avant sa mort imminente.

Les trop jeunes parents de Mercedes, deux adolescents ravis d'aller découvrir la vieille Europe, quittent allègrement les belles-mères et laissent l'enfant aux soins de sa bisaïeule maternelle, Maria Luisa Chacón, âme généreuse et aimante. Elle ne songe qu'à gâter l'adorable arrière-petite-fille. Son principe d'éducation : amour total et liberté totale ! Je l'ai peut-être entrevue une fois ou deux à l'habitation, mais j'ai l'impression très vive de la bien connaître, Mercedes me l'ayant tant de fois décrite, des années plus tard : « Un ange de bonté… D'une rare beauté avec ses cheveux blancs comme neige… Ses yeux bleus d'une douceur angélique… À son âge, presque le charme de la jeunesse, etc. »

Pour les aristocrates de Cuba, il n'était pas de voyage en Europe sans un séjour à Madrid, en particulier à la cour du roi Charles IV, d'où l'on sortait rarement sans avoir obtenu quelque faveur. Je sais de quoi je parle ! Don Joaquin reçoit la charge de sous-inspecteur des armées royales à Cuba, ce qui l'obligera à de fréquents voyages entre les deux capitales. Et quels voyages ! Mais sa toute jeune femme, Maria Teresa, dont la beauté et le charme ont vite conquis la cour du roi, ne l'entend pas de cette oreille. Comparée à Madrid, La Havane ne lui paraît plus que l'insignifiante capitale d'une colonie arriérée et minable. Aucune envie d'y remettre les pieds, même pour y revoir sa fille !

Drôle de mère, si vous voulez savoir ce que j'en pense ! Drôle d'épouse aussi qui se laisse mugueter à qui mieux mieux par tous les précieux comtes et marquis trop parfumés de la cour, avec une nette préférence pour les ducs et les princes… voire les rois ! Elle se fait appeler comtesse avant même d'y avoir droit et s'installe en reine dans un joli palais, au 3 de la rue del Clavel. Son salon devient vite le rendez-vous non seulement des beaux gentilshommes mais aussi des plus grands esprits du royaume : écrivains, peintres, musiciens, sans parler des ministres et autres personnes d'influence.

Plutôt soldat et négociant, Don Joaquin ne se plaît guère au milieu des dentelles, des mots d'esprit et des fausses grâces des courtisans plus ou moins avoués de sa femme. Bien sûr, quand il est de passage à Madrid, la « comtesse » remplit ses devoirs d'épouse… comme l'exige son confesseur ! Donne pas ses absolutions, celui-là, sans négocier serré ! Dieu la bénit en la gratifiant d'une autre fille, Pepita, et d'un garçon, Francisco Javier… qui deviendra comte de Jaruco à la mort de son père.

Toujours en voyage, Don Joaquin ! Non seulement entre La Havane et Madrid, mais à travers l'île : quand on est sous-inspecteur des armées, faut sous-inspecter à mort, jusqu'au plus miteux bivouac perdu dans la montagne !

Au retour d'un des interminables voyages de Don Joaquin, sa fille Mercedes a déjà huit ans et demi. À peu près temps de faire la connaissance de son père ! Elle quitte donc Mamita pour le rejoindre dans sa belle demeure de La Havane, petit palais où les esclaves ne manquent pas pour chasser les mouches, servir les jus de fruits, agiter les éventails ! Par bonheur, la Mamita adorée habite tout près, à la ville comme à la campagne. Au moindre prétexte, Mercedes court se réfugier dans ses bras.

Encore très jeune, Don Joaquin aime les petits plaisirs de la vie sociale de La Havane et, au lieu de parfaire l'éducation bien superficielle de sa fille, il lui demande de l'accompagner : bals, fêtes, bains aux eaux de San Antonio, parties à la campagne, promenades en *quitrin**.

À la maison, au milieu des esclaves qui la traitent comme une petite princesse, elle fait la pluie et le beau temps sans jamais que son père lui en tienne rigueur,

* Voiture légère à deux grandes roues.

éducateur du genre Mamita! À huit ans, c'est à peine si Mercedes sait lire et écrire l'espagnol... que moi j'ai appris, de bric et de broc, au cours de mes six premiers mois d'esclavage!

Sophronie, très vieille esclave venue d'Haïti on ne sait par quel odieux détour, a même commencé à m'apprendre le français... Un jour, elle me fait cadeau de deux livres en lambeaux, aux pages jaunies, à peine lisibles, ficelés avec des bouts de laine: «Je suis presque aveugle, me dit la Négresse. Longtemps j'ai cru que ces deux vieilles grammaires m'ouvriraient les portes de la langue française d'abord, puis de la langue espagnole... Ah! le beau rêve! Quitter les misères de la canne à sucre, me retrouver à La Havane dans une bonne famille, aide-cuisinière, femme de chambre, bonne d'enfants, peu importe, mais vivre esclave tranquille en ville, ne plus être battue par le *mayoral*, bien manger, dormir tout mon saoul... Trop vieille, je n'y vois plus rien, je mourrai ici, sans même avoir connu La Havane. Mais toi, ces deux livres peuvent te sauver la vie...»

Sans qu'il en soit de sa faute, la petite Mercedes a poussé sans grammaire, sans règle ni contrainte, comme une belle fleur sauvage. Ses qualités de cœur, sa beauté, son charme font vite oublier son ignorance et ses mauvaises manières. Au contraire des gens bien élevés de son milieu, elle traite les esclaves avec égard, avec affection même, dans le cas de Dolorès, sa nourrice.

«J'avais pourtant l'esclavage en horreur, m'avoue-t-elle un jour, et, ce qui paraîtra surprenant, combien je sentais déjà, à huit ans, que la distance immense du maître à l'esclave n'était pas naturelle; qu'il y avait quelque chose de violent, de forcé, de monstrueux, dans cette domination. Ces sentiments se développaient d'autant mieux que, par suite de mon éducation (*tu parles!*), je n'avais jamais entrevu la contrainte comme le plus grand des malheurs[2]. »

Ah bon ? Et la fortune de ses parents, sa vie heureuse, ses voyages, elle doit absolument tout à l'esclavage, « ce quelque chose de violent, de forcé, de monstrueux… ». Elle se doute bien un peu des violences exercées par le *mayoral* au nom de son père, mais n'a aucune idée des souffrances plus subtiles : la nostalgie lancinante du vieux pays, la lenteur des jours, les nuits trop courtes, les semaines toutes pareilles, l'avenir sans l'ombre d'un espoir…

Le moindre incident prend alors une importance démesurée dans la plantation : naissance d'un petit esclave à la vie de misère déjà écrite, arrivage d'esclaves tout neufs auxquels on arrache des nouvelles d'Afrique, souvent inventées pour nous faire plaisir, mort d'un vieux Nègre rongé par la lèpre, mort par petits bouts : un doigt, une main, une jambe… des mois il fallait !

Depuis un bon moment, les rumeurs nous préparent à un événement qui, paraît-il, va bouleverser la vie de la plantation. « Pour le mieux ! » prétend le *mayoral*. On verra ! Tout a commencé avec le voyage à Londres du comte de Casa Montalvo, grand-père maternel de notre chère Mercedes. Autour de l'année 1794, par là, il reçoit la mission d'apprendre des choses sur une récente découverte des Anglais. Au bout de quelques mois, il revient au pays avec la première machine à vapeur à toucher le sol de Cuba et la fait installer ici même, dans la plantation de son gendre, notre maître Don Joaquin. Pas seulement parce qu'il est de la famille…

Bien sûr, Don Joaquin a ses petites manies, aime les honneurs et les médailles, adore grimper dans son arbre généalogique, mais il a contribué au développement de l'agriculture dans l'île et, grâce à sa connaissance du français et de la chimie, a su mettre à la disposition des planteurs plusieurs techniques nouvelles pour accroître la production du sucre.

Hélas! Il a moins de talent pour le négoce, comme en témoigne sa désastreuse aventure dans l'importation de farine des États-Unis, dont le roi d'Espagne lui a donné le monopole pour services rendus à la patrie[3]. Dans un parfum de scandale, les rumeurs déplaisantes circulent chez les esclaves: Don Joaquin aurait perdu un gros tas d'argent dans l'affaire, de même que plusieurs membres de sa famille et quelques riches bourgeois de La Havane. À voix basse, les soirs de mauvaise humeur, les esclaves chantent une petite chanson de circonstance… Don Joaquin n'en sait rien, mais le *mayoral*, qui sait tout, devient vert quand il entend le cinglant couplet:

«Don Joaquin tombé dans la farine, rine, rine,
Tout blanc meunier
Mais la farine pourrie, rie, rie,
Tombée dans l'eau, oh! oh!»

On n'a jamais su tous les détails, mais des milliers de barils de farine avariée ont été jetés à la mer, en face de La Havane.

Revenons à l'énorme engin tout encombré de manivelles, pistons, bielles, tuyaux et courroies, capable de broyer la canne à sucre à une vitesse folle.

Dans l'ensemble, les esclaves font bon accueil à cette machine grinçante et pétaradante, dont les vieux Nègres affirment qu'elle vient droit de l'enfer. Naïfs comme à l'accoutumée, les esclaves croient que l'engin les soulagera des tâches les plus pénibles… alors que son seul objectif est d'augmenter la production du sucre !

Mais combien donc leur en faut-il, aux Blancs, de cette écœurante saloperie ? Déjà, Cuba est le troisième producteur au monde, le premier en Amérique depuis la révolte des esclaves en Haïti. Ils ont chassé les Blancs – bravo, mes frères ! – et, par la même occasion, fracassé leur industrie sucrière. Depuis Adam et Ève et jusqu'à récemment, les hommes se sont passés de sucre, se contentant du miel volé aux abeilles. S'en portaient pas plus mal !

Dès que nous en avons l'occasion sans risquer les punitions du *mayoral*, nous allons reluquer la chose. On dit que l'île entière a les yeux tournés vers notre plantation, ça vient de partout, ça défile : des évêques tout de violet nippés, des comtes chaussés de fins souliers vernis avec boucles d'argent, dans la boue à mi-jambe, des marquises aux petits cris effarouchés, le binocle à manche en bataille, ah ! surtout ne rien manquer !

Dans un vacarme effroyable, la machine à vapeur se donne en spectacle : elle pète des flammes violettes comme l'évêque, éructe mille gaz puants, crache d'épaisses fumées à étouffer raide un village entier !

Les esclaves de la plantation en sont bien fiers…

6

Mercedes s'enfuit du couvent de Santa Clara

À la suite d'une manière de scandale, très révélateur du caractère résolu, indépendant, exceptionnel de la petite Mercedes, elle devient célèbre à La Havane et dans les plantations. Pour les esclaves, elle symbolise cette liberté qui nous manque si atrocement. Le soir, dans les huttes ou le *barracón*, autour d'un feu, on discute les moindres détails de cette incroyable histoire au cours de laquelle notre héroïne a tenu tête à son père, à sa grand-mère, à ses tantes et surtout à la très sainte mère supérieure du couvent de Santa Clara, ce qui doit bien friser le sacrilège! Ah! il faut raconter ça, même si c'est un peu long!

Bientôt, le roi appelle Don Joaquin à Madrid. Le moment paraît opportun pour ramener sa fille Mercedes auprès d'une mère qu'elle ne connaît pas encore, pas plus d'ailleurs qu'elle ne connaît sa sœur et son frère, nés à Madrid.

Sans être un saint, Don Joaquin n'approuve guère la vie dissolue de la cour, où sa femme se tortille comme un poisson dans l'eau. Il veut au moins épargner sa fille Mercedes; elle lui paraît née pour la vie plus saine de la colonie où, le moment venu, on lui trouvera un mari noble et beau, grand propriétaire de plantations et d'esclaves.

Par contre, Don Joaquin ne peut se résigner à laisser Mercedes aux trop bons soins de Mamita, surtout devant l'opposition farouche de sa propre mère, Maria Teresa y Cárdenas, veuve desséchée, rancie, bigote comme on n'en fait plus, pétrie de lectures pieuses et tombant en extase une fois sur deux au milieu de la grand-messe! Selon elle, Mercedes est d'une ignorance incommensurable, surtout en matières religieuses. Elle s'en va droit en enfer! Une seule solution : placer cette petite sauvageonne inculte comme pensionnaire au couvent de Santa Clara, cloître moyenâgeux destiné aux filles de l'aristocratie cubaine. D'ailleurs, la mère supérieure, sans doute comtesse dans le civil, est la grand-tante de Mercedes, ce qui devrait faciliter les choses.

On imagine les furieuses protestations de cette enfant éprise de liberté, de promenades et de jeux! Comment accepter de vivre même une journée dans une sorte de prison lugubre, au milieu de femmes sévères et froides, en oraison de prime à matines… quand elles ne se donnent pas la discipline dans la cellule obscure réservée à cette fin! Mais, pour convaincre Mercedes, toute la famille fait front commun, même Mamita… avec moins de conviction! La première fois de sa vie, l'enfant se sent abandonnée, trahie par les siens : la mort dans l'âme, elle se résigne.

Il revient à sa grand-mère paternelle, Maria Teresa, grande responsable de ses malheurs, de reconduire Mercedes au couvent. Mère supérieure en tête, les religieuses font mille grâces à l'enfant pour l'amadouer, la convaincre qu'elle sera heureuse au milieu d'elles. Quand Mercedes entend se refermer sur elle les énormes portes cloutées, et grincer la clé dans la serrure, elle comprend qu'elle a perdu sa liberté. Son enfance vient de mourir et elle est seule au monde ! Elle a une réaction farouche de petit animal pris au piège et laisse libre cours à sa colère. Au bout de quelques mois, la mère supérieure renonce à l'idée de transformer cette jeune révoltée en novice, voire en pieuse moniale dont la famille serait fière. Elle ne parle plus à sa petite-nièce que pour la réprimander et lui imposer des punitions d'ailleurs fort méritées.

Seule capable d'apaiser son acrimonie : une religieuse dans la jeune vingtaine, malheureuse elle aussi, sœur Inès. Elles se consolent l'une l'autre au cours de rencontres de plus en plus furtives, car la mère supérieure s'est vite opposée à cette affection mutuelle que, dans les couvents, on décourage sans pitié. Pendant les quelque dix-huit mois du séjour de Mercedes, les deux amies se rencontrent le soir, à l'occasion, dans la pénombre du cloître, derrière les bosquets d'hibiscus : elles pleurent ensemble, échangent quelques paroles de réconfort et disparaissent dans la nuit à la moindre alerte. Souvent plusieurs jours sans se parler, d'une fois à l'autre leur angoisse se concrétise, se fixe : la plus âgée sur une histoire d'amour malheureuse, la plus jeune sur ses plans d'évasion.

Sœur Inès finit par se rendre à l'évidence : jamais Mercedes n'acceptera la vie austère d'un couvent et, tout compte fait, la tendresse, voire la complaisance extrême de sa Mamita valent mieux pour elle. Elle accepte alors d'aider sa jeune amie à s'enfuir de ce couvent étanche comme une prison en lui révélant un secret : elle ne l'avait jamais utilisé pour elle-même, faute peut-être d'une Mamita tendre et indulgente, habitant tout près.

Laissons Mercedes raconter elle-même cet incident crucial de sa jeune vie. Elle vient de confirmer son désir d'évasion à sœur Inès :

« Pauvre enfant, me dit-elle, en me voyant répandre des larmes, que je te plains ! Ton imagination ardente et ton cœur tendre n'ont pas été créés pour ce séjour… Je n'hésite plus : je ferai pour toi ce que j'aurais voulu que l'on eût fait pour moi… Mercedes, tu vas être dépositaire d'un secret auquel est attaché mon sort, ma vie peut-être… Je le confie sans crainte à ton jeune cœur ; une voix secrète me dit que tu ne tromperas pas ma confiance… Pense qu'il te faut du courage ! »

Puis se reprenant :

« Tu es donc bien décidée à sortir d'ici, ma fille ?

— Je me sens la force de tout tenter pour cela.

— Eh bien ! écoute. Lorsque tu as été dans le chœur de l'église pour entendre la messe, as-tu remarqué l'endroit destiné à la communion des religieuses ?

— Oui, c'est une ouverture pratiquée dans le mur à la hauteur de trois pieds, et qui est fermée par deux portes, l'une du côté de l'église, et l'autre dans l'intérieur du couvent.

— Crois-tu pouvoir passer par cette ouverture ?

— Je le pense ; mais comment avoir les clefs ? Le vicaire garde l'une et l'abbesse, l'autre…

— Tu n'en auras pas besoin ; les portes ne ferment pas ; c'est un secret qui n'est connu de personne dans le couvent… profites-en, et lorsque tu seras plus heureuse, ne m'oublie pas[4] ! »

Mercedes ne se tient plus de joie et prend la décision de fuir au plus tôt, c'est-à-dire dès le lendemain matin, au moment où on ouvre les portes de l'église conventuelle pour permettre l'accès aux fidèles du voisinage. Au cours de la soirée, elle veut revoir une dernière fois son amie sœur Inès à qui, dans quelques heures, elle devra sa liberté. Rendez-vous dans l'obscurité complice du cimetière du couvent, derrière le grand cèdre. Mercedes ne s'attend pas à se voir confier une mission fort délicate qui, un jour, lui permettra de découvrir et de raconter l'incroyable histoire de sœur Inès.

« J'ai un frère, lui dit-elle, il ne sait pas où je suis, et on emploie tous les moyens possibles pour qu'il l'ignore. Son cœur n'a point participé à l'injustice dont j'ai été victime, et bien qu'il soit en partie la cause indirecte de ma misère, je n'ai pas à lui reprocher une seule de mes douleurs. Si ton père te mène à Madrid, tu dois le rencontrer facilement… Voici une lettre, je la confie à ton amitié ; fais en sorte de la lui remettre sans intermédiaire, et si quelque circonstance te met dans l'impossibilité de le faire, tu peux la détruire : avec elle s'envolera ma dernière espérance[5]. »

Sœur Inès serre Mercedes dans ses bras et, tel un frêle fantôme, disparaît du cimetière. Les deux amies ne devaient plus se revoir de leur vie.

Le lendemain matin, Mercedes se rend dans le premier chœur, au niveau de la rue, alors que les religieuses se réunissent dans le chœur supérieur pour les oraisons. Un peu avant neuf heures, le sacristain ouvre la porte qui donne rue Cuba. Mercedes attend, prostrée dans une pieuse attitude… pour qu'on ne la reconnaisse pas! Le moment venu, juste avant l'arrivée des premiers fidèles, elle s'avance avec calme vers la grille : comme prévu, la première petite porte s'ouvre, puis la deuxième. Tel un leste lapin, elle s'élance, plonge dans l'autre partie de l'église et, d'un pas tranquille, marche en direction de la sortie sans que personne ne paraisse se rendre compte de ce fait inconcevable : une très jeune « novice », tout de blanc vêtue, quitte un couvent cloîtré comme si de rien n'était ! Dès qu'elle a le nez dehors, Mercedes se met à courir comme une folle et, quelques minutes plus tard, se retrouve avec délices aux pieds de sa Mamita.

À partir de cet instant, donc, Mercedes devient une sorte d'héroïne pour les esclaves de notre plantation et même d'ailleurs. Le soir, à la veillée, c'est le grand sujet de discussion et chacun imagine les scénarios les plus invraisemblables : on la mettra dans une vraie prison, ou dans l'autre couvent des clarisses, à Cartagena de los Indios, on la vendra comme esclave en Martinique, etc. À la manière africaine, les vieux improvisent des chansons à répondre :

« Mercedes est partie, hi ! hi !
Partie Mercedes, la, la…
Ira à Madrid, ira pas
Ira pas ah ! ah ! ah ! »

On rigole bien en imitant les hauts cris de toutes ces mères supérieures, comtesses et autres marquises scandalisées à mort par l'acte d'insubordination de Mercedes, sans doute un péché mortel réservé à l'évêque.

Première réaction de Don Joaquin et de sa mère, Maria Teresa y Cárdenas : forcer Mercedes à retourner au couvent de Santa Clara. Holà ! Pas si vite ! La mère supérieure, toute grand-tante qu'elle soit, ne veut plus rien savoir de ce petit démon, dont elle endure les frasques depuis dix-huit mois et qui l'a humiliée aux yeux de tout le pays, esclaves compris.

« Mercedes pas à Santa Clara, ra, ra…

Pas à Santa Clara, Mercedes, la, la… »

Don Joaquin ne peut reprendre sa fille, ses fonctions de sous-inspecteur des armées l'accaparant de plus en plus : Matanzas un jour, Trinidad la semaine suivante, puis Santiago à l'autre bout de l'île… Presque toujours à cheval ! Non, en toute conscience, Don Joaquin ne peut s'occuper de manière convenable d'une enfant, charmante certes, mais du genre difficile… et presque illettrée !

Solution provisoire : placer Mercedes chez sa tante la marquise Paquita de Castelflor, femme de tête, moins tendre que Mamita, mais presque aussi dévote que la grand-mère Maria Teresa. Trois cousines de son âge… Mercedes s'habituera ! Même aux cours accélérés d'instruction religieuse…

7

Dernières émotions à Cuba

Peu après l'installation de Mercedes chez la marquise, Don Joaquin reçoit de Madrid une lettre qu'il n'attendait pas : sa femme lui demande de lui ramener sa fille au plus vite, par le prochain navire. Elle ne s'en soucie pas depuis douze ans et voilà qu'elle s'énerve !

Ça tombe à pic : Don Joaquin doit se rendre à Madrid par le prochain voilier, en fait le vaisseau amiral d'une escadre de huit navires de ligne dont le commandant, l'amiral Gravina, est un ami de la famille, bien entendu. L'aristocratie me semble une vaste confrérie sans frontière qui assure des amitiés fort utiles à un moment ou l'autre de la vie. Don Joaquin, par exemple, reçoit avec chaleur dans son palais de La Havane les grandes sommités de l'époque, de passage à Cuba. Ainsi le duc d'Orléans, futur roi des Français, et, mille fois plus important à mes yeux, le baron Humboldt, qui a eu le courage de dénoncer l'esclavage dans son fameux livre, honni par tous les esclavagistes du monde[6].

Don Joaquin jamais ne s'oppose aux vœux de sa femme ; il s'empresse donc d'annoncer à Mercedes le jour du grand départ pour l'Europe, soit le 25 avril 1802, date impossible à oublier : ce jour-là, un effroyable incendie détruit tout le quartier de Jesús Maria, fier morceau de La Havane.

Peu avant le départ, Mercedes vient à la plantation faire ses adieux à plusieurs esclaves dont elle garde un bon souvenir, au premier rang desquels la belle Mama Dolorès, la nourrice tendrement aimée. Selon la coutume, à la fin de l'allaitement, Don Joaquin lui a offert la liberté. Dolorès a refusé net, ne voulant à aucun prix quitter l'enfant… qui devait ne connaître sa vraie mère que seulement douze ans plus tard !

Les autres esclaves ayant servi Mercedes d'une façon ou d'une autre se rassemblent devant l'habitation pour dire adieu à leur petite maîtresse, depuis peu héroïne chantée par tous les esclaves. Je me glisse parmi eux, sous le prétexte bien futile de l'avoir rencontrée à deux reprises depuis mon arrivée à la plantation, deux moments dramatiques qu'elle ne peut avoir oubliés. Elle me reconnaît, me fait signe d'approcher et, à l'étonnement de tous, m'embrasse sur les deux joues.

Je reste auprès d'elle pendant qu'elle explique à une Dolorès en larmes et en cris l'impossibilité de l'emmener à Madrid en raison de ses trois enfants qu'elle ne veut évidemment pas laisser à Cuba orphelins et esclaves pour le reste de leurs jours.

Mercedes obtient de son père la liberté de Dolorès, grâce dédaignée par l'esclave douze ans plus tôt. Ce suprême cadeau semble la laisser de marbre puisque Mercedes s'en va et que ses trois enfants demeurent des esclaves, sans grand espoir de connaître un jour la liberté. Inconsolable, Dolorès pleure en répétant, comme le refrain d'une chanson triste : « Toi partir et moi rester ! »

C'est alors que Mercedes, encore une enfant mais au cœur immense, court vers son père et, après les câlineries habituelles, lui tient cet étonnant discours:

«Papa, j'ai une grâce à vous demander. Vous donnez la liberté à Mama Dolorès; elle lui est due, puisqu'elle m'a nourrie; mais ses enfants restent esclaves... faites-m'en cadeau...

— Je veux bien, lui dit son père, qui ne savait absolument rien refuser à sa fille, mais que veux-tu en faire?

— Les lui donner.

— Et que deviendront-ils?

— Accordez-moi quelques hectares de votre immense plantation, faites-moi crédit, et je les rendrai heureux avant de partir[7].»

À sa façon, Don Joaquin est un homme de cœur et trouve aimable le projet de sa fille. À l'insu de Dolorès, occupée à préparer les caisses et les malles à la maison de La Havane, Mercedes passe quelques jours à l'habitation pour s'assurer de la qualité de la hutte spacieuse, fraîchement construite sur le nouveau terrain de Dolorès, recouvert de centaines de beaux plants de tabac.

Quelques jours à peine avant le départ de l'escadre, prétextant l'envie d'une dernière partie à la campagne, Mercedes se rend à la plantation en compagnie de son père, de Dolorès et de ses trois enfants qui ne la quittent pratiquement jamais.

En arrivant, Mercedes me prie de me joindre au petit groupe qui va assister à une scène émouvante, comme il n'est pas souvent donné d'en vivre au cours d'une vie entière.

Mercedes invite sa nourrice à visiter la hutte toute neuve, meublée dans les moindres détails, et lui montre, tout autour, l'immense champ de tabac : «Tout cela est à toi!» La pauvre Négresse n'en croit pas ses yeux et saute en criant, comme il arrive aux enfants qui débordent de joie.

«J'ai encore quelque chose de mieux à t'offrir, lui dit Mercedes en l'entraînant du côté où jouent les trois fils, ses frères de lait, après tout! Mon père vient de me donner tes enfants et je te les offre à mon tour : ils sont libres!»

Aucun mot ne peut décrire l'allégresse folle, la joie délirante de Dolorès et l'émotion qui étreint tous les spectateurs, dont aucun n'a retenu ses larmes, moi comprise. Chez les esclaves, le soir autour du feu, la petite scène sera racontée pendant les années à venir, chacun ajoutant un détail touchant à une histoire déjà capable de tirer les larmes au plus aigri des Nègres.

À la réflexion, pourtant, j'y voyais une nouvelle preuve de l'insensibilité des Blancs face à l'esclavage. De quoi s'agit-il? Une petite fille de douze ans, généreuse et sensible il est vrai, dispose à sa guise de l'existence de quatre êtres humains comme s'il s'agissait d'une chatte et de trois chatons. Le poison de l'esclavage a perverti des générations de Blancs pourtant civilisés, au point qu'ils ne font guère de différence entre un esclave et un animal. Dans la mesure de ses moyens, Mercedes vient d'avoir un geste humain à l'endroit de quatre esclaves, mais en quoi cela change-t-il le sort des centaines de milliers d'autres qui, en ce moment même dans l'île de Cuba, vivent plus misérables que des bêtes de somme… parce qu'ils conservent au fond du cœur une pâle lueur d'espoir, cet ultime brin de folie qui manquera toujours aux chevaux et aux ânes?

Ces réflexions amères ne m'empêchent pas d'éprouver une tendresse accrue à l'endroit de cette petite fille blanche pas tout à fait comme les autres. Sous l'impulsion du cœur, je m'élance vers elle et la serre dans mes bras, tout étonnée de mon audace :

« Mercedes, le jour de la mort de mon fils, tu m'as dit, quelque part au bout de ces champs : "Cangis ! Il faut que tu vives ! J'ai besoin que tu vives…" Cette phrase, je l'ai comprise à moitié, mon espagnol laissant alors à désirer, mais chaque mot m'est resté gravé dans la mémoire. Peut-être voulais-tu dire qu'un jour tu aurais besoin de moi… Et ce jour est arrivé : emmène-moi en Espagne, je serai la meilleure des esclaves parce que je t'aime…

– Ma foi, Cangis, tu as vite appris l'espagnol !

– On dit que je le parle assez bien. Le père Antonio prétend même que je l'écris sans fautes…

– Je ne peux certes en dire autant ! Tu pourrais m'aider à apprendre la grammaire… », répond une Mercedes rêveuse, en songeant que l'argument impressionnerait sûrement son père.

Lui-même emmène dans ses bagages un valet de chambre français, un esclave nègre, colosse de six pieds, sa femme esclave elle aussi, et deux jeunes mulâtres pour monter derrière son carrosse. Serait-il à une esclave près ?

Don Joaquin hésite : dans une dernière lettre, sa femme fait allusion au nombre restreint de serviteurs pouvant loger, même modestement, dans leur demeure de la rue del Clavel. Il finit par céder : l'épisode de Santa Clara mis à part, il n'a jamais rien refusé à Mercedes, et sans doute veut-il lui faire oublier la peine qu'il lui a causée en l'abandonnant, pendant dix-huit mois, à sa revêche grand-tante, supérieure du couvent.

Mercedes s'enthousiasme à l'idée de m'avoir pour compagne, essayant d'oublier que je suis d'abord son esclave. J'ai à peine huit ans de plus qu'elle et ma « distinction naturelle », ma « beauté », dont on ne cesse de me rebattre les oreilles, me feraient plus facilement accepter par sa mère qui joue les grandes dames à la cour de Madrid.

Le lendemain, Mercedes envoie l'esclave Cristobal me chercher dans un joli *quitrin*, dont je fais l'expérience pour la première fois. J'en éprouve un plaisir intense. Bêtise auprès des innombrables expériences nouvelles qui seront le lot de chaque jour à partir de ce court voyage en *quitrin*, depuis l'habitation jusqu'au palais de Don Joaquin !

Mercedes m'accueille avec exubérance :

« Vite ! Il faut préparer nos affaires, nous partons demain !

— Mes affaires ? Mais je n'ai rien ! m'écrié-je en exhibant un baluchon, gros comme un chou blanc, contenant un pagne de rechange, un peigne en os, un collier en plumes de coq, pâle imitation de celui que je portais quand j'étais reine et, mon bien le plus précieux : les deux grammaires !

— Nous avons à peu près la même taille, j'ai une armoire pleine de robes, jupons, chapeaux, bonnets, souliers… »

Comme l'enfant qu'elle est toujours, Mercedes s'amuse à m'affubler de ses grands chapeaux de paille fine, de ses robes de bal qui, ma foi ! me donnent fière allure. Hélas ! Ayant marché pieds nus depuis toujours, les souliers fins, les escarpins vernis, même les sandales ne me vont pas. Mamita a vent de l'affaire et me trouve, Dieu sait où, une variété de chaussures à mon pied.

Au cours de cette folle soirée, j'oublie presque ma qualité d'esclave, appartenant corps et âme à Don Joaquin. Quand il m'aperçoit dans une des robes de bal de Mercedes, il a un moment de recul et chuchote à l'oreille de sa fille: «Ta mère aura du mal à comprendre que je ramène à Madrid une esclave aussi séduisante. Il te faudra en prendre la responsabilité entière. Donc, je te donne Cangis officiellement et, à partir de cet instant, c'est ton esclave et non la mienne!»

D'avoir pour maîtresse cette merveilleuse enfant me comble de bonheur. Dieux de mes ancêtres, qu'est-ce qui m'arrive? Toute esclave que je sois, me voilà heureuse, la première fois depuis la mort de mon bien-aimé petit prince!

Avant d'aller dormir, Mercedes m'invite sur son balcon pour admirer, au centre de la rade, la valse lente des huit vaisseaux de l'escadre en partance. Demain matin, le vaisseau amiral nous emmènera jusqu'à Cadix, en Espagne… Je rêve! Je rêve! Je rêve!

Deuxième partie

MADRID (1802-1813)

À la cour du roi Joseph

1

De La Havane à Cadix

Le matin du 25 avril 1802, une chaloupe manœuvrée par des marins aux muscles puissants nous emmène au vaisseau amiral, à la sortie de la rade. Tout le long du port, mille curieux nous acclament et chantent de vieilles ballades de Cuba dans le fracas des fanfares et des coups de canon tirés depuis les autres navires.

Une fois hissées à bord dans d'inquiétants fauteuils halés par un cordage passé dans une poulie, on nous montre les cabines, mais nous préférons vivre les derniers instants sur le pont : Mercedes retient mal ses sanglots devant sa ville et son pays natal que l'horizon bientôt avale à grandes lampées. Au contraire, tout en la consolant, je me réjouis de voir disparaître l'île exécrée où j'ai connu toutes les souffrances physiques et morales réservées aux esclaves. Je jure que, mes dieux aidant, je n'y remettrai jamais les pieds ! Et je me dis que l'Espagne me rapproche peut-être un peu de mon Congo bien-aimé…

Ayant déjà traversé cet océan Atlantique dans les conditions les plus horribles, impossibles à expliquer à qui ne les a pas vécues dans sa chair, cette fois je rêve éveillée, aimablement balancée par le roulis et le tangage, comme un enfant dans une bercelonnette. Il en est tout autrement de la pauvre Mercedes : en quittant les eaux calmes de la baie de La Havane, elle est prise à la gorge par le mal de mer : devenue pâle comme un fantôme, elle perd tout appétit sans toutefois cesser de vomir. Elle fait peine à voir et ma première tâche est bien légère : lui tenir compagnie pendant qu'elle languit dans un des hamacs réservés aux passagers. Assise par terre à ses côtés, je lui donne ses premiers cours de grammaire espagnole : *pedir, pedia, pidiera, pidiese…* mais dans son état, elle se lasse vite des verbes irréguliers, même des autres ! J'ai plus de succès en lui lisant des pages de *Don Quijote de la Mancha*, dont elle ne se lasse jamais.

Quand la mer est agitée, voilà notre régime. À l'heure des repas, je vais manger avec les serviteurs de Don Joaquin et rapporte à Mercedes un fruit ou deux : souvent, elle n'a pas la force même de les regarder !

Éblouissants et magiques, les couchers de soleil sont notre spectacle quotidien avant l'arrivée de la nuit qui met fin à nos lectures. Mercedes me demande alors de lui raconter mon enfance au Congo, mes belles années d'insouciance, mes amours avec Akinoké… J'étire ces chapitres pour ne jamais me rendre aux événements plus récents : ma capture, la traversée à bord du négrier, la vie inhumaine et triste dans la plantation de son père. Le voyage dure trop longtemps : il faut bien m'y résigner un jour, alors que la mer, devenue trop calme au goût des marins, redonne à Mercedes envie de vivre.

L'histoire de mon voyage à bord du vaisseau négrier du capitaine Douglas la stupéfie, elle refuse d'y croire…

«Jamais on ne m'a ainsi décrit la vie des esclaves en mer. Quelle abomination!

– Cette abomination, chère Mercedes, a été vécue par tous les esclaves importés à Cuba depuis 1512…

– Même Dolorès?

– Très certainement!

– Même Dolorès! Pardon, pardon, mon Dieu!»

Toute rebelle et libre et généreuse qu'elle soit, Mercedes a subi l'influence de son milieu aristocratique pour qui l'esclavage est une nécessité de la vie. Ses récentes bontés pour Dolorès et pour moi sont la preuve d'une âme sensible mais, sauf exception, n'empêchent pas Mercedes de traiter un esclave en esclave. Bien malgré elle!

À preuve, cet incident arrivé hier… Son père, son arrière-grand-oncle le général O'Farrill, l'amiral et quelques autres passagers viennent à leur tour voir la petite malade dans son hamac. Dès qu'elle se sent mieux et que ses joues reprennent leur couleur, les jeunes officiers de marine, certains déjà rencontrés aux fêtes de son père, lui font une cour discrète. C'est le cas du capitaine Garcia, commandant en second, jeune homme fort cultivé, au visage fin. Mercedes lui ayant avoué qu'elle a fini de lire (ou de se faire lire par moi!) les rares livres en sa possession, il s'empresse de lui apporter un des siens: les tragédies de Racine, en français, réunies en un volume.

Comme je ne connais pas encore assez bien le français, je cède ma place au capitaine qui offre de traduire le chapitre intitulé «Andromaque». Entre chaque vers, le jeune homme plonge son regard clair dans celui de Mercedes… avec une telle intensité que j'en suis toute confuse! Passant par là, Don Joaquin se rend compte de la situation et trouve un prétexte pour appeler à lui l'innocente Mercedes.

Le lendemain matin, elle me raconte en riant un petit fait… qui m'amuse un peu moins!

«Au cours de la nuit, je fus réveillée par un bruit inusité. J'écoutai, et je finis par reconnaître, au retour régulier et monotone du son, qu'on ronflait tout près de moi. J'avais de la lumière: ma porte fermait mal; je m'en approchai, et je vis Felipe, notre Nègre athlète, couché en travers de la porte de ma chambre, comme un gros chien de Terre-Neuve[8]!»

Elle ne se rend pas compte que, pour la protéger des entreprises possibles du capitaine Garcia et des autres jeunes officiers, son père condamne Felipe, un être humain, à dormir par terre jusqu'à la fin de la traversée. Comme un bon gros chien…

Mercedes a la naïveté des enfants de son âge. Mais quelle âge a-t-elle donc? Sans la moindre hésitation elle dit avoir onze ans. Mais, comme elle est née en 1789, je sais bien qu'elle en a douze! Et puisque Don Joaquin a lui-même épousé à quinze ans une fille de douze ans, il a peut-être raison de se méfier des jeunes hommes qui tournent autour de Mercedes, déjà petite femme élancée et de belles formes.

Autre incident notoire: peu après les Açores, une furieuse tempête s'abat sur nous, en pleine nuit, dans un fracas de lames monstres. Des montagnes d'eau surgissent de nulle part en grondant, s'écrasent sur le pont, menacent d'engloutir d'un instant à l'autre notre embarcation, insignifiante coquille de noix au milieu de cette mer devenue folle. Des voiles se déchirent de haut en bas, toutes les poulies gémissent en même temps, les mâtures craquent comme de grands arbres sur le point d'être vaincus par de formidables bûcherons.

Réfugiées dans la cabine de Mercedes, nous attendons la mort, accrochées l'une à l'autre pour réduire le danger d'être projetées contre un meuble, une caisse, un mur.

« C'est au-dessus de mes forces ! gémit Mercedes… comme elle fait toujours avant de s'évanouir.

– Non et non ! On est toujours plus forte qu'on croit… Demande aux esclaves ! Pense à Dolorès, enchaînée au fond d'une cale empuantie, au milieu des gémissements de centaines d'esclaves… Elle a connu des tempêtes pires que celle-ci… »

Erreur ! Erreur ! La pensée des souffrances de sa belle nourrice est la goutte qui fait déborder le vase : Mercedes se pâme ! Je m'agrippe à cette masse ramollie, maintenant incapable de réagir aux brusques mouvements du navire. Tout à coup, une lame énorme, furieuse, s'abat sur les ponts, envahit tout, s'engouffre dans les cabines : ce bain froid subito presto ranime Mercedes maintenant trempée comme une soupe !

En dépit de l'appréhension d'un dénouement tragique, le spectacle de nous deux, ahuries, éperdues, à moitié folles, ruisselantes dans nos vêtements déchirés, nous fait rire aux éclats, Mercedes et moi ! Cette réaction incongrue semble émouvoir le dieu des tempêtes : à travers les voiles déchiquetées, en guenilles, trois, quatre étoiles nous parlent d'espérance… Au lever du jour, la mer se calme et permet aux marins de réparer, tant bien que mal, les dégâts de la nuit.

Au bout de trente-quatre jours, certains plus longs que d'autres, l'éblouissant miracle de la ville de Cadix !

À bord, tout le monde oublie d'un coup misères et angoisses de la traversée. Éclatante de soleil, Cadix nous ouvre les bras, nous promet l'Espagne, l'Europe, le monde…

2

Première rencontre avec la mère

Plus le grand port avance vers nous, plus Mercedes s'extasie, presque autant que moi qui n'ai jamais vu de ville, hormis des miettes de La Havane : le quai des esclaves, le jour de mon arrivée, situé à l'écart pour ne pas troubler les bonnes consciences, la Plaza de Armas vue de loin, le palais de Don Joaquin, la veille du voyage, et enfin les deux rives de la baie, le matin du départ. Tout cela est trop proche de mes malheurs pour que j'en garde un bon souvenir.

Et Mercedes ? Au cours de sa jeune vie, qu'a-t-elle vu de plus que moi ? Les petits et grands palais de sa famille, les églises, beaucoup d'églises, le couvent de Santa Clara jusqu'au trognon, la campagne autour de La Havane, quelques habitations… C'est bien, mais sur la carte de l'Afrique, elle ne sait même pas où se trouve le Congo !

Ensemble, nous nous émerveillons donc devant Cadix, fier amoncellement de maisons blanches enchevêtrées, gros cubes de sucre scintillant dans le soleil du matin.

Les hommes blancs restent pour moi un épais mystère, plus incompréhensible que leur seul-Dieu-en-trois-personnes… que le père Antonio n'a pas encore réussi à faire avaler à beaucoup d'esclaves! Comment peuvent-ils concevoir une merveille comme Cadix et, en même temps, accepter, pire encore encourager l'esclavage au nom du Père, du Fils et du Saint-Esprit? Ça me dépasse!

Don Joaquin a des amis partout: à Cadix, nous nous installons pendant quelques jours chez un général, moi dans le quartier réservé aux serviteurs, seule dans une chambre sûrement trop belle pour une esclave!

Don Joaquin veut, dit-il, montrer Cadix à sa fille. Dans ma petite tête, je pense plutôt qu'il veut montrer à ses amis la belle, mince, déjà troublante Mercedes!

Prochaine étape: Séville, encore plus spectaculaire. Églises toutes époques, palais tous styles, places lumineuses, rues étroites… où il y a plus de monde que dans l'île de Cuba tout entière! Après l'exubérance antillaise, l'Andalousie nous paraît bien pauvre en arbres et en fleurs. On peut pas tout avoir!

Halte de trois jours à Aranjuez, non que la ville soit plus grosse que Cadix ou Séville mais, par quelque caprice de Blanc, le roi d'Espagne y tient sa cour dans un palais royal beaucoup plus modeste que celui de Madrid. Allez comprendre!

Don Joaquin a des affaires à discuter avec le roi Charles IV, pas très grand roi d'après ce qu'on raconte, mené par le bout du nez par sa femme, la très antipathique reine Marie-Louise de Parme, elle-même sous l'emprise de Manuel Godoy, singulier pistolet, ancien garde du corps devenu amant de la reine et, par conséquent, nommé premier ministre et affublé du titre non mérité de prince de la Paix. Aïe! Aïe! Tout cela me semble carrément scandaleux et peu compatible avec la dignité d'une reine et d'un roi, comme nous l'entendons dans mon royaume de «sauvages», là-bas au Congo!

Par des chemins mauvais, abruties à force d'être brinquebalées dans des carrosses sans confort, brisées, disloquées, nous entrons enfin à Madrid. Au galop jusqu'à la maison familiale au fond d'une belle rue*. À Séville, Don Joaquin a acheté un somptueux carrosse et deux chevaux noirs que conduit Felipe. Un peu avant Madrid, il fait monter sur la banquette extérieure les deux mulâtres, superbes dans leur livrée rouge et or, flambant neuve, coupée en hâte par le tailleur de Don Joaquin. Et fouette, cocher!

En voyant surgir cet impressionnant équipage, les gens du quartier ont dû conclure qu'il s'agissait d'un très grand seigneur. Devant la maison, palais en réalité, les deux mulâtres sautent sur le pavé et ouvrent les portières pour laisser descendre Don Joaquin, l'oncle O'Farrill, général et grand homme de la famille, et une Mercedes épuisée, comme d'habitude au bord de la crise de nerfs, écrasée par la joie intense de faire la connaissance de sa mère. Enfin! À l'âge de douze ans! Et sa sœur Pepita, et son frère Francisco Javier…

Mercedes ne garde aucune rancune à cette mère qui l'a tout de même abandonnée à la naissance. Au contraire, elle l'idéalise au plus haut degré, l'aime d'un amour passionné, lui trouve toutes les vertus et ne souhaite qu'une chose dans la vie: plaire à cette mère parfaite.

Elle raconte elle-même l'extrême émotion de ce premier contact:

* 3, rue del Clavel. La maison a également une entrée rue de los Panaderos.

«Elle vint à notre rencontre. Dieu! que je la trouvai belle! Qui aurait pu la regarder pour la première fois sans être ému? Qui pouvait la connaître sans lui vouer un culte? Son port majestueux, ses traits réguliers, ses cheveux et ses beaux yeux noirs se dessinant avec grâce sur une peau d'albâtre; des bras, des mains et des épaules admirables; et, ce qui est encore au-dessus de toutes ces perfections, l'expression calme et touchante de sa physionomie; ce mélange de fierté et de douceur, qui attestait à la fois l'élévation et la sensibilité de son âme[9].»

Hélas! Il ne faut pas longtemps pour découvrir le vrai visage de la mère de Mercedes! Elle se fait appeler Teresa de Montalvo, comtesse de Jaruco, alors que le titre appartient encore à une vieille tante, Teresa de Santa Cruz y Calvo de la Puerta (ouf!)... qui se plaint amèrement des prétentions de sa nièce.

Chose certaine, Teresa n'est pas encore comtesse, pas plus que l'ange de douceur, l'âme sensible imaginée par sa fille. Mercedes finira bien par connaître la fâcheuse réputation de sa mère... un des rares sujets dont nous ne discutons jamais!

Cette première rencontre lui laisse des souvenirs vifs, jamais oubliés:

«Il me semble encore voir cette robe de soie bleu foncé, qui faisait ressortir la blancheur de ses bras, et ce voile léger, dont je pourrais encore compter les plis, qui couvrait à moitié les belles nattes de ses cheveux. En me pressant sur son cœur, un doux frémissement agitait tout son corps... Je le sentis, et mon bonheur fut si fort que je faillis m'évanouir: ma tête se pencha et, pour la première fois, je m'appuyai sur le sein maternel! Mon frère et ma sœur vinrent un moment après, et nous

nous embrassâmes avec cette joie si vraie et si naïve de notre âge[10]. »

En ce moment de grande émotion, la « comtesse » a-t-elle compris l'égoïsme effarant qui lui avait fait abandonner son premier-né pour aller « vivre sa vie » à la cour de Madrid et à sa propre petite cour, rue del Clavel ? Peut-être...

Felipe, sa femme, le valet et les deux mulâtres n'assistent pas à cette scène : aussitôt entrés dans la maison, on les reconduit au quartier des domestiques. En esclave bien élevée, je devrais les suivre, mais je reste, un peu à l'écart, assez près tout de même pour ne rien manquer.

Tout à coup, la comtesse m'aperçoit, s'étonne, s'exclame :

« Mais qui est donc cette jolie princesse noire ? »

Me sentant interpellée, je réponds doucement :

« Pas princesse, Madame, mais reine.

– Vraiment ?

– Oui. »

Mercedes intervient, explique à sa mère que j'ai été reine, en effet, là-bas au Congo, avant de devenir l'esclave de Don Joaquin et finalement la sienne. Pour l'instant, de toute évidence, la comtesse ne veut pas en savoir davantage.

« Bon. Tu seras la femme de chambre de ma fille.

– Merci maman, dit Mercedes, mais je n'ai pas vraiment besoin d'une femme de chambre. Par contre, Cangis est plus instruite que moi et m'aide beaucoup dans mes études...

– Ah oui ? Ça tombe bien, ma fille, car j'ai l'impression que ton éducation a été fort négligée à La Havane. Au plus vite, il te faudra rattraper ton frère et ta sœur. Déjà, j'ai engagé un précepteur, mais peut-être ta petite *reine* pourra-t-elle t'aider à apprendre tes leçons… »

Mercedes saute au cou de sa mère pour la remercier. J'aurais aimé en faire autant, mais un domestique me prend par le bras et m'entraîne jusqu'à ma chambrette, à l'autre extrémité de la maison.

3

Le salon de la comtesse

Dès le lendemain de notre arrivée commence pour Mercedes une vie d'étude, de travail, de discipline qui lui rappelle davantage le couvent de Santa Clara que les jardins de son arrière-grand-mère Mamita! Ô surprise! Elle est bonne élève et j'ai plaisir à lui faire réciter ses leçons. Elle met beaucoup d'ardeur au travail, dans le seul but de plaire à sa mère, de la conquérir...

D'une sensibilité excessive, Mercedes croit percevoir une certaine préférence de sa mère à l'endroit de Pepita, sa sœur cadette. Sans être jalouse, elle en éprouve une peine immense et, pour s'assurer une meilleure place dans le cœur de la comtesse, elle se donne à l'étude corps et âme. Six mois plus tard, triomphante, elle peut me dire : «Grâce à toi, Cangis, j'ai dépassé ma sœur!»

C'est vrai, mais la comtesse n'a pas l'air d'apprécier les efforts inouïs de la «petite sauvageonne». Elle s'y intéresse davantage le jour où elle découvre la voix riche, bien timbrée, absolument remarquable de sa fille. Un maître de musique ajoute bientôt ses exigences à la vie studieuse de Mercedes qui, par bonheur, a la passion du chant.

En raison d'une vie mondaine intense, d'aventures galantes multiples et de ses devoirs de dame de compagnie de la reine, la comtesse ne consacre guère de temps à ses trois enfants, confinés dans leur coin de l'immense demeure, où je suis toujours disponible pour les longues et laborieuses leçons.

Mercedes et moi passons de belles heures dans la bibliothèque de la comtesse, remplie de romans, mais aussi de livres d'histoire, depuis l'Égypte des pharaons jusqu'à la Grèce et la Rome antiques. Nous prenons un immense plaisir à lire et à discuter des traductions espagnoles de *Pamela* et *Clarissa Harlowe*, de l'écrivain anglais Samuel Richardson, et à pratiquer le français avec *Delphine*, beau roman de Mme de Staël.

Bien entendu, il y a un rayon interdit aux enfants, où se trouvent justement *La Nouvelle Héloïse* et *Les Confessions* de Jean-Jacques Rousseau, que nous avons grande envie de lire.

«Quand vous serez mariées!» nous dit la comtesse en riant.

Deux mois à peine après notre arrivée à Madrid, Don Joaquin doit repartir pour La Havane, comblé de faveurs du roi… ou plutôt de Manuel Godoy, devenu premier ministre entre les draps de la reine Marie-Louise! Les charmes irrésistibles de la comtesse ne laissent pas indifférent un homme comme Godoy, qui n'en est plus à une maîtresse près. Pour s'assurer la complaisance du mari, il flatte son insatiable vanité en lui donnant des titres ronflants, comme maréchal de camp et chevalier de l'ordre de Calatrova, sans parler des avantages financiers.

Ces faveurs dites royales, Don Joaquin les doit à Manuel Godoy, c'est-à-dire à la comtesse, comme on le raconte à la cuisine… et dans tout Madrid! Elle se dit comtesse de Jaruco, alors que son mari n'a pas encore hérité du titre, détenu par la vieille tante increvable*. Sans grand effort, elle convainc son illustre amant de donner à Don Joaquin celui de comte de Mopox… en attendant l'autre! En toute légitimité, Teresa peut maintenant se dire comtesse. «¡*Gracias, Manuel!*»

Don Joaquin aussi, je commence à le voir sous un jour moins flatteur. À Cuba, pour les esclaves de sa plantation, il était le chef suprême, l'*amo*, maître de nos existences. Bon maître, peut-être, mais toujours absent, tenu dans l'ignorance de la brutalité de son *mayoral* et de toutes les injustices commises en son nom.

Depuis que j'habite sa maison, celle de sa femme, devrais-je dire, il a dégringolé dans mon estime. J'ai même des haut-le-cœur en le voyant sourire aux marivaudages éhontés des admirateurs de la comtesse, béat, sans mot dire, cocu content… À la vérité, il n'apprécie guère les soirées de la rue del Clavel, les plus brillantes et les mieux fréquentées du royaume. Sa superbe femme y brille, entourée d'adulateurs rêvant tous de passer un jour des salons à la chambre à coucher: princes, ducs, marquis, à l'occasion des hommes sans titre, pourvu qu'ils soient séduisants.

Don Joaquin n'est rien moins que séduisant: nez retroussé, yeux trop petits, chairs abondantes et flasques qui menacent de faire éclater son bel uniforme de capitaine, sauter les boutons dorés, dégrafer épaulettes et médailles…

Le nouveau comte de Mopox n'approuve pas les manières, pour ne pas dire les vices de la comtesse, mais

* Coriace, elle meurt en 1804, quasi centenaire.

il en profite sans vergogne et se sent moins coupable quand, à l'occasion, il organise de petites orgies dans son palais de La Havane, certaines ayant scandalisé toute la ville.

Mercedes pleure le départ pour Cuba de ce père admiré et tendrement aimé, même s'il ne s'en est guère plus occupé que sa mère.

Chère Mercedes au noble cœur! Elle ne voit rien de mal ou de laid chez les personnes qu'elle aime. Même moi, j'en profite! Avec une infinie délicatesse, elle s'efforce de me faire oublier mon état d'esclave, elle me traite comme une amie et réussit à m'imposer même à sa mère, devant qui j'ai trouvé grâce en raison des progrès étonnants de sa fille en grammaire française.

Quelquefois, la comtesse me laisse accompagner les trois enfants au grand salon où ses prestigieux invités me regardent comme un objet de curiosité, surtout quand on leur révèle ma qualité de reine. Ils m'examinent de tous les côtés, glissent des commentaires flatteurs sur ma beauté, mon élégance, mais ducs et marquis ne s'abaissent pas à parler à la «jolie petite Négresse». Bref, j'ajoute au décor comme le beau chat blanc de la comtesse, l'épagneul rapporté de La Havane par Mercedes et le perroquet du Brésil qui jacasse en portugais.

Notre présence au salon s'impose quand la comtesse de Terrealta s'amène avec ses deux filles, Augustias et Luisa, à qui nous tenons compagnie. À l'annonce du dîner, nous filons vers nos appartements… le plus loin possible des «grandes personnes»! En attendant, regroupées autour de la table des enfants, nous jouons à des jeux innocents ou nous dessinons. L'illustre Goya, un des invités habituels, vient nous regarder faire et critiquer nos «œuvres». Un jour, il risque des remarques peu flatteuses devant un dessin de Mercedes, tout attristée. Pour la consoler, le grand peintre a ces mots prophétiques: «Comme peintre, peut-être n'atteindras-tu pas la gloire; mais comme femme, tu iras loin[11]!»

Les plus grands écrivains d'Espagne fréquentent le salon de la comtesse et se plaisent à y lire des extraits de leurs œuvres. Un jour, de sa voix nasillarde, Quintana nous déclame deux tragédies avant la représentation publique: *Pelayo* et *Duque de Vicea*. Une autre fois, c'est le tour de Moratín. Des musiciens viennent jouer leurs œuvres, interprétées par les cantatrices et les chanteurs les plus renommés de Madrid. À l'occasion, la comtesse invite Mercedes à chanter une chanson cubaine longuement répétée. Bien entendu, la fillette manque s'évanouir mais les applaudissements des invités arrivent toujours à point nommé.

Par beau temps, les invités se rassemblent d'abord dans le jardin aux plates-bandes débordantes de roses, planté d'arbres fruitiers, de noyers et surtout d'acacias sublimes, tout frémissants de passereaux.

Aux écrivains, peintres et musiciens se mêlent les aristocrates les plus en vue, grands d'Espagne et hommes politiques puissants. Les généraux racontent leurs guerres pour impressionner les belles dames, plutôt rares il est vrai, la comtesse préférant nettement les hommes. Les privilégiées: des femmes cultivées, élégantes et souvent belles… mais juste un peu moins que la reine des lieux! Ce salon est une petite cour dont la seule fonction est de satisfaire les deux grandes passions de la comtesse: l'amour et le jeu.

Par deux, par trois, on se promène dans le jardin, immense patio sur lequel donnent les fenêtres du rez-de-chaussée et de l'étage. On se rafraîchit de boissons fines, on savoure nougats et fruits confits, on discute les derniers scandales politiques, les sottises les plus énormes du vieux roi Charles IV, les aventures de la reine et autres intrigues de la cour. Et, surtout, on badine avec l'amour, on prodigue les compliments les plus audacieux, on risque un madrigal coquin...

Au soleil couchant, les invités s'acheminent à pas lents vers le grand salon où, l'hiver, brûlent de grosses bûches dans la cheminée de marbre rose. On allume mille bougies, mille lampes pour que scintillent diadèmes, colliers, paillettes, brocarts à ramages, sans oublier les décorations somptueuses des hommes : croix, étoiles, crachats, plaques et médailles. Surtout, on éclaire les tables recouvertes de tapis verts où les invités se regroupent selon leur préférence : dés, loto, trictrac, jeu de l'*hombre*, etc.

La partie commence : aussitôt les joueurs changent de physionomie, leurs traits se raidissent, la passion les rend laids... On se concentre, on tripote les doublons d'or comme pour leur dire adieu, mais on fait la cour à sa partenaire, on marivaude à qui mieux mieux... tout en perdant des sommes fabuleuses dans un frisson passionné !

Les serviteurs vont d'une table à l'autre, portant de larges assiettes en argent où l'on a disposé avec art olives, noix, tranches de jambon cru, canapés garnis de foie gras ou de fromage. D'autres remplissent de xérès les verres de cristal fin, minces comme des corolles de fleurs.

La plus acharnée des joueuses, la comtesse ne quitterait jamais sa table si ses devoirs d'hôtesse parfois ne l'incitaient à voltiger d'un groupe à l'autre, à saluer les amis, amants d'hier, d'aujourd'hui, de demain… Au passage, elle glane flatteries et compliments galants ; sa soif de louanges un instant apaisée, elle retourne vite à sa table pour y perdre encore un lambeau de sa fortune.

Sans l'ombre d'un scrupule, la comtesse gaspille ses rentes, voire son capital, celui de Don Joaquin, surtout sa santé et sa resplendissante jeunesse dans une folle frénésie de dévergondage. Elle ne tolère pas longtemps les enfants dans le grand salon, sans doute pour leur épargner le peu édifiant spectacle dont ils devinent tout de même l'essentiel. Quoi qu'ils en pensent, les parents ne peuvent rien cacher à leurs enfants ! D'ailleurs, par les fenêtres donnant sur le patio, les enfants de Don Joaquin entrevoient souvent des scènes… pas tout à fait de leur âge !

4

Mort de sœur Inès et de Don Joaquin

Notre vie, à Mercedes, Pepita, Francisco et moi, se déroule sans heurt, entre les cours de chant, les leçons d'écriture, de grammaire, d'arithmétique et nos heures heureuses dans la bibliothèque de la comtesse.

Hormis ce que nous ont laissé imaginer nos lectures, Mercedes et moi ne savons rien de l'hiver et l'attendons avec impatience. Enfin, voir tomber de la neige, jouer avec la neige… Mais d'abord, il faut assister à l'effondrement du paysage : les fleurs s'éteignent comme des lampes à bout de mèche, les herbes malades jaunissent et meurent, en épaisses volées les feuilles s'enfuient avec les oiseaux, nous laissant le noir squelette des arbres qu'on dirait morts pour l'éternité… Quelle horreur !

Une seule journée de neige a suffi à notre curiosité ! L'hiver ne convient ni à Mercedes ni à moi, toutes deux filles des tropiques. Notre pays, c'est l'été ! Nous refusons de mettre le nez dehors, toujours emmitouflées, nous réchauffant auprès des fourneaux de la cuisine.

Le temps maussade a une influence néfaste sur Mercedes : elle ne rit plus, mange à peine, voit tout en noir, ne s'intéresse à rien. Elle a toujours eu la larme facile, mais elle pleure maintenant sans raison. Au bout de quelques semaines, la comtesse commence à s'inquiéter et mande le médecin. Ce savant à barbe et à binocle prescrit à Mercedes l'air de la campagne. Je l'accompagne donc à Moncloa, situé à une lieue de Madrid… et encore assez loin des tropiques!

Au cours d'un séjour de trois semaines loin de l'agitation de la rue del Clavel, Mercedes se remet peu à peu, grâce aux soins de son frère Francisco et aux miens, bien sûr, puisque je ne la quitte jamais, même la nuit.

De retour à la grande maison, la vie reprend son train-train, sans événements dignes de mention, sauf la visite du chevalier de Silva. En entendant ce nom, Mercedes devient agitée et demande à sa mère la permission de dire quelques mots au visiteur.

«Tu connais le chevalier? demande la comtesse, étonnée.

— Non, mais c'est le frère de sœur Inès, la seule amie que j'ai eue au couvent de Santa Clara… J'ai même une lettre pour lui…»

Mercedes retrouve vite la précieuse lettre au milieu de ses petits trésors intimes, la remet au chevalier qui s'empresse de la lire. Son émotion est vive, ses joues se colorent, son front se crispe…

«Vous avez reçu de mauvaises nouvelles, chevalier? demande la comtesse.

— Oui, Madame, et elles m'obligeront à partir à Cuba le plus tôt possible…»

Le chevalier de Silva remercie Mercedes avec chaleur et prend congé. Dès le lendemain, il s'embarque, sans avoir révélé le secret de la lettre; néanmoins,

Mercedes n'est pas peu fière d'avoir accompli sa mission, jugée d'une importance capitale par sa grande amie.

Nous avions oublié l'incident quand, des mois plus tard, la comtesse reçoit la visite de Mme John Armstrong, femme de l'ambassadeur des États-Unis à Madrid, dont elle apprécie le franc-parler et la bonne humeur. L'ambassadrice demande à voir Mercedes et lui remet un paquet en provenance de Floride, ce qui l'étonne fort : elle ne connaît absolument personne aux États-Unis ! Mme Armstrong lui montre un billet attaché au paquet et Mercedes le lit en pleurant :

« Une circonstance malheureuse nous offrit l'occasion, il y a quelques mois, de recueillir dans notre maison la jeune fille intéressante qui nous a confié ces papiers. Ses infortunes, sa beauté et la douceur de son caractère nous la firent aimer, et nos regrets, ainsi que nos soins, l'ont accompagnée jusqu'au tombeau. Regardant sa dernière volonté comme un devoir sacré à remplir, nous nous empressons de faire parvenir ce paquet à la personne à laquelle il est adressé[12]. »

Avant d'aller se réfugier dans sa chambre, Mercedes explique, à travers ses sanglots :

« Elle est morte ! Ma belle amie du couvent de Santa Clara ! Sœur Inès ! La sœur du chevalier de Silva est morte ! »

J'aide Mercedes à retourner à sa chambre où nous ouvrons le précieux paquet contenant un manuscrit : les souvenirs de sœur Inès[13].

J'entreprends aussitôt de lire à haute voix ce texte d'au moins cent cinquante pages d'une fine écriture, par bonheur très lisible. Comme Mercedes le sait déjà, sœur

Inès n'est pas entrée au couvent de Santa Clara pour répondre à une vocation religieuse, mais elle ignore tout de ses amours malheureuses avec Don Diego de Alvarez. Le père de son amie avait d'autres plans et força sa fille à s'enterrer vivante au célèbre couvent de La Havane. Grâce à la complicité de son frère, le chevalier de Silva, elle réussit à s'enfuir, retrouve Diego et, ensemble, ils quittent l'île de Cuba. Une tempête entraîne le naufrage de leur petit bateau à voile sur les côtes de Floride et Diego se noie. De peine et de misère, sa fiancée atteint le rivage où une famille charitable la recueille. Elle a juste le temps d'écrire ces cent cinquante pages avant de mourir…

Il est près de trois heures du matin quand je lis le mot «FIN». À bout de forces, Mercedes sombre aussitôt dans un sommeil profond. J'étends un manteau sur son corps fébrile et m'endors à ses côtés.

Mille huit cent sept. Grave nouvelle de La Havane : Don Joaquin, troisième comte de Jaruco (enfin !) et premier comte de Mopox, meurt d'hydropisie à l'âge de trente-cinq ans, usé avant le temps, étouffé par sa graisse et abruti par le café qu'il buvait sans arrêt, parfois toute la nuit : pour travailler… ou pour faire la fête avec des amis !

Sans jamais ménager son corps, cet homme excessif voulait, à sa manière, vivre intensément, s'enrichir le plus vite possible en se lançant dans toutes sortes de négoces, comme l'importation de farine des États-Unis, ou de vastes projets de développement de Cuba qui souvent finissaient en catastrophes.

Criblé de dettes, Don Joaquin meurt seul dans son palais, au milieu d'une poignée d'esclaves… fidèles malgré eux !

Rien ne peut empêcher Mercedes de pleurer ce père idéalisé, magnifié, idolâtré, qui lui a consacré bien peu de jours depuis sa naissance... il y a dix-huit ans!

Mercedes n'est plus une enfant, elle est même une très belle jeune femme qui pourrait rivaliser avec sa mère... si la comtesse lui en donnait l'occasion! Elle s'en garde, elle connaît trop les hommes et s'en méfie quand ils rôdent autour de sa fille... pas tout à fait insensible aux hommages rendus à sa jeunesse et à sa beauté! Mercedes demeure humble et discrète, mais il lui arrive de parler du mariage qui sera son lot, un jour ou l'autre :

« J'ai vraiment hâte de lire *Les Confessions* de Jean-Jacques Rousseau!» lance-t-elle parfois, en riant.

5

Un grand oiseau de proie dans le ciel d'Espagne

Peu après la mort de Don Joaquin, la comtesse décide que son fils Francisco Javier doit aller étudier à Paris, comme c'est la mode chez les nobles espagnols fortunés. Au début du XIXe siècle, Paris est le point de mire du monde entier, on y trouve rassemblés une constellation de très grands écrivains, de musiciens célèbres, de peintres de génie et de femmes élégantes qui dictent la mode à toutes les cours d'Europe.

La comtesse accompagne son fils pour s'assurer de la qualité des institutions d'enseignement et de la pension où logera Francisco. Elle prend aussi le temps de briller dans les meilleurs salons parisiens, de briser un cœur ou deux comme en se jouant et, bien entendu, de faire le bonheur des grands couturiers, bijoutiers et parfumeurs.

Comme le voyage doit durer environ deux mois, la comtesse confie ses deux filles à la vieille tante Manuela, femme du général Mandinueta, maintenant à la retraite : il se repose d'avoir tué tant de monde ! La tante trouve normal qu'une esclave accompagne ses deux petites-nièces, d'autant plus qu'elle-même en possède une, Yamila, avec qui je m'entends fort bien… en dépit de ses origines nigériennes!

On nous installe dans un grand appartement avec balcon, donnant sur le jardin en fleurs. Petit inconvénient: les gens de la maison d'en face ont une vue plongeante sur nos chambres, dont nous gardons fermées les hautes persiennes olive. En les entrouvrant, nous apercevons souvent un jeune homme blond, très conscient de notre présence derrière les persiennes: appuyé à sa fenêtre, il fredonne de tendres ballades en grattant sa guitare. Pour nous forcer à nous montrer, il engage un joyeux groupe de gitanes qui chantent et dansent pour nous seules. En compagnie de tante Manuela, qui ne se doute de rien, nous nous rendons jusqu'à la grille du jardin pour assister au spectacle.

Le jeune homme blond peut alors nous examiner à son aise… Tout en évitant son regard, Mercedes se rend compte qu'il a une jolie figure… et son cœur bat plus vite qu'à l'accoutumée!

Plusieurs fois, il répète le coup des gitanes, si bien que Don Anastasio, ami de la famille souvent à la maison, s'en rend compte et nous interpelle à ce sujet:

«Je vois, ce jeune homme vous intéresse! Vous le connaissez?

– Non. Absolument pas. Il se trouve que nos fenêtres donnent sur sa maison et…

– Moi, je connais bien le marquis de Cerrano. De réputation… Un jeune dévergondé impénitent! Buveur! Joueur! S'amuse à gaspiller les maigres biens de sa famille!»

Mercedes est consternée. Sans doute croit-elle – c'est bien de son âge! – avoir trouvé l'amour… Par bonheur, la comtesse ayant annoncé son retour, nous faisons nos adieux à la tante Manuela et à son vieux général. Au moment où on s'apprête à monter dans le superbe carrosse bleu de sa mère, Mercedes jette un dernier coup d'œil à la fenêtre du jeune marquis de Cerrano… qui la gratifie d'un sourire plein d'audace! Mercedes ne réagit pas mais, quelques jours plus tard, elle me pose cette étrange question:

«Crois-tu, Cangis, que l'amour d'une femme peut changer un homme comme le marquis? Le ramener dans le droit chemin?»

Je ne dis rien, ne sachant absolument pas quoi répondre…

La maison de la rue del Clavel fête le retour de la comtesse et la visite du général O'Farrill, l'oncle magnifique. Mercedes lui voue une affection particulière parce qu'il est le fils de sa chère Mamita, morte depuis peu.

Nous prenons beaucoup de plaisir à aider la comtesse à déballer les nombreuses caisses rapportées de Paris, débordantes de toilettes à la toute dernière mode, de bijoux comme on n'en a jamais vu à Madrid, de parfums rares et chers et, Dieu merci! d'une dizaine de livres français récents, dont *Corinne ou l'Italie* de Mme de Staël.

Sans s'en rendre compte, la comtesse manifeste une grande tendresse à l'égard de sa fille Pepita, laissant Mercedes à l'écart, chagrine, qui finalement se réfugie auprès de l'oncle O'Farrill.

Le général arrive lui aussi d'un voyage en France, pays où il a jadis reçu son éducation dans un collège de bénédictins. Contrairement à la comtesse qui n'en finit plus de raconter des anecdotes puériles sur la vie mondaine de Paris, les intrigues amoureuses des princes et des rois, les derniers scandales politiques et patati, patata, le général n'a que des propos graves sur l'Europe, au-dessus de laquelle il voit planer «un grand oiseau de proie», un aigle vorace dont les yeux assassins se posent déjà sur l'Espagne.

Comme tout le monde, Mercedes et moi avons été séduites par les succès fulgurants de ce général français qui finit par se couronner lui-même empereur: Napoléon Iᵉʳ! L'Espagne ne le considère-t-elle pas comme un allié et un ami? Cette illusion, le très lucide général O'Farrill nous la fait perdre en exprimant son mépris absolu pour ce dictateur meurtrier, assoiffé de conquêtes qui ont déjà coûté la vie à des millions d'êtres humains, dont souvent les cadavres sont laissés à pourrir le long des routes... Il nous cite ce mot terrifiant de Napoléon: «L'Espagne, j'en fais mon affaire avec moins de deux cent mille morts[14]!»

La comtesse et toute la famille se pressent autour du général qui n'a jamais parlé sur ce ton:

«Attila, passe encore! s'écrie-t-il avec colère. À moitié sauvage, venu de la fin du monde... Mais Napoléon? Un citoyen français, fils de la Révolution, appartenant à une société hautement civilisée. Le petit Corse, que diable! a tout de même reçu une bonne éducation! Hélas! Hélas! Tout jeune encore, à seize ans, il est tombé dans l'artillerie comme d'autres dans l'alcool. Ne s'en est jamais sorti, attrapant vite la maladie de la guerre, virulente fièvre, contagieuse à mort! Ceux qui admirent ce criminel (le général jette un doux regard du côté des filles...) devraient une seule journée suivre ses "glorieux" soldats qui tuent sans se lasser, violent les femmes, détruisent pour se distraire des œuvres d'art irremplaçables, volent les vases sacrés des églises pour les brocanter à leur profit, brûlent des villages entiers, massacrent femmes et enfants pour venger un seul des leurs… ou sans la moindre raison!»

Un silence funèbre écrase notre petit groupe sidéré. L'oncle O'Farrill jouit d'un immense prestige non seulement dans cette maison, mais partout en Espagne, à Cuba, même en France et ailleurs dans le monde. C'est pourquoi sa fulgurante sortie nous plonge dans un profond désarroi.

«Qu'allons-nous devenir, s'inquiète la comtesse, si l'empereur Napoléon décide de conquérir l'Espagne à son tour? Notre roi Charles IV ne semble pas de taille à faire face à pareille menace.

– Sacredieu! Notre bon roi est trop bon, voilà le drame! Trop irrésolu, trop faible. Quant à ses fils, ils m'ont l'air taillés dans la même étoffe. Sans mot dire, le roi a toléré les abus d'interprétation du traité de Fontainebleau, permettant déjà à Napoléon d'envoyer ses armées à travers l'Espagne sous prétexte de nous défendre et d'aller battre les Anglais en Portugal.»

La comtesse écoute ces propos avec une grande attention. Elle a de l'influence auprès du roi, de la reine surtout, dont elle est dame de compagnie, sans parler du premier ministre Manuel Godoy, son amant de l'heure. Elle jouera peut-être, qui sait? un rôle historique…

6

Un prince et un marquis s'embrouillent…

Peu de temps après, à propos de rien, le drôle de prince de la Paix, Manuel Godoy, a l'imprudence et la naïveté de provoquer la colère de Napoléon, officiellement allié de l'Espagne, dans une proclamation belliqueuse. Bien mal en point, la pauvre armée espagnole est absolument incapable de partir en guerre pour appuyer pareille fanfaronnade.

Affolée, la comtesse tente de convaincre la reine Marie-Louise de faire emprisonner son amant (leur amant!) Manuel Godoy pour calmer la fureur de Napoléon. L'empereur n'a pas encore annoncé ses intentions à l'égard de l'Espagne, mais il en a toutefois discuté avec le tsar de Russie, à l'occasion de la signature du traité de Tilsit, où les deux souverains se sont partagé sans scrupule une bonne brassée de petits pays d'Europe. Triomphe de la raison des plus forts!

Ah! être une petite souris cachée dans le grand salon de la reine pour entendre les deux maîtresses de Manuel Godoy comploter son arrestation! Triomphe du patriotisme sur les passions amoureuses!

Les événements se précipitent. Sous prétexte de protéger l'Espagne des Anglais qui piétinent en Portugal et brûlent d'avancer jusqu'au cœur de l'Espagne pour la « protéger » des Français, Napoléon envoie de nouvelles armées dans tous les coins de la péninsule ibérique. Murat, grand-duc de Berg, s'installe à Madrid avec son armée et, à toutes fins utiles, agit en occupant et exerce des pouvoirs relevant du roi Charles IV.

Au palais d'Aranjuez, le prince Ferdinand, héritier du trône d'Espagne, profite des événements pour convaincre son père d'abdiquer en sa faveur. Le roi est fatigué, perclus de rhumatismes, il ne se sent pas la force de tenir tête au maître invincible de l'Europe, il rêve d'aller à la chasse et de se reposer dans un beau château bien tranquille, bref Charles IV est un pleutre ! Il finit par céder la couronne à ce fils qui n'a guère plus de qualités d'esprit et encore moins de cœur, comme il en donnera bientôt la preuve.

Ferdinand VII entend réparer les gaffes énormes de Manuel Godoy, maintenant derrière les barreaux, et exploiter à fond la vieille amitié entre la France et l'Espagne, indéfectible depuis Louis XIV.

C'est mal connaître la soif insatiable de conquêtes du « boucher de l'Europe », capable de toutes les perfidies pour atteindre son but et dont la parole donnée n'a aucune valeur dès qu'elle ne sert plus ses ambitions immédiates.

Ma foi ! je m'excite, je parle de tout cela avec feu, comme si j'étais espagnole ! Or, que je sache, cet empereur français n'a encore aucune visée sur mon humble Congo, dont il ignore peut-être même l'existence. Napoléon, Godoy, Charles, Ferdinand… Je me moque éperdument de leurs petites chamailles de Blancs! Français, Espagnols, Anglais, Portugais, du pareil au même: tous infâmes esclavagistes! Les révolutionnaires de 1789, faut leur donner ça, ont aboli l'esclavage, mais leur «grand» Napoléon s'est empressé de le rétablir! Non seulement il a tué ou fait tuer pour sa «gloire» deux millions d'êtres humains mais, par-dessus le marché, comme dit l'oncle O'Farrill, «il a assassiné la Révolution française»!

Rue del Clavel, ça va. Avec moi, la comtesse continue de garder ses distances, pour me rappeler mon état d'esclave... tolérée sous son toit en raison de l'amitié que me voue sa fille Mercedes. De jour en jour, cependant, elle se montre un peu plus aimable, surtout depuis que je lui rends de menus services personnels. Vivement impressionnée par ma connaissance de l'espagnol et du français, il lui arrive de me soumettre, pour fins de correction, des brouillons de lettres à de grands personnages... J'ai ainsi appris plus de choses sur sa pauvre mère que je ne voudrais qu'en sache Mercedes, son adoratrice inconditionnelle.

Au cours de ses prestigieuses soirées, la comtesse rivalise d'élégance avec les duchesses et les princesses qui fréquentent son salon dans l'espoir, rarement déçu, d'aiguiser les appétits des hommes, venus d'abord pour l'hôtesse mais sachant se contenter de moins.

Mercedes n'est plus une enfant et se présente donc tout naturellement aux soirées de sa mère... qui doit bien songer à lui trouver un mari convenable!

Un soir, Don Galvez, vieil ami de la comtesse, arrive avec un jeune homme qu'il lui demande de recevoir. Mercedes, Pepita et moi sommes frappées de stupeur: cet ami de Don Galvez, c'est le marquis de

Cerrano, notre voisin chez la tante Manuela, le beau jeune homme qui engage des gitanes pour nous forcer à le regarder… Or le voilà soudain dans notre salon, très sûrement pour faire la cour à Mercedes. Elle se sauve dans sa chambre, mais je la connais trop pour ne pas deviner son trouble : cette visite inattendue la touche… et la flatte ! Elle ne sait comment réagir devant un homme qui lui fait le compliment ou qui la gratifie d'un sourire un peu appuyé. Sa belle innocence la rend farouche…

Par la suite, chaque fois qu'apparaît le marquis de Cerrano, Mercedes disparaît. Un soir, Don Galvez lui demande les raisons de son attitude inamicale :

« Ce marquis de Cerrano est un dévergondé, un esprit fort… Je ne veux pas le connaître !

– Vous avez tort, lui répond Don Galvez avec assurance. C'est un galant homme, fils d'une noble famille… »

Mercedes ne répond pas mais, quand le marquis revient à la maison, elle ne se sauve plus. Elle tolère même ses prudentes galanteries et sourit à ses mots d'esprit.

J'observe la scène de loin, mais je comprends vite que Mercedes n'a pas assez l'expérience des hommes pour résister longtemps à un séducteur de la trempe du marquis de Cerrano… qui bientôt déclare vouloir l'épouser ! Rare aubaine en effet, cette toute jeune femme, belle comme une déesse, et dont la mère puissante et riche (croit-il !) lui assure une dot de taille. Rare aubaine pour ce libertin blasé, revenu de tous les plaisirs, à peu près ruiné.

Mercedes, je l'avoue, se défend bien, et résiste, ferme. Sans explication, le marquis cesse brusquement de venir rue del Clavel. Inquiétude, petite angoisse, mystère enfin éclairci par Don Galvez. Selon lui, son jeune ami s'est retiré par discrétion, persuadé que Mercedes lui résiste en raison de l'état précaire de sa fortune.

Les considérations d'argent ne jouent évidemment aucun rôle dans les hésitations de Mercedes, fort touchée par la délicatesse que manifeste le marquis. Elle cesse alors de lutter : elle aime déjà cet homme et décide de l'épouser, le plus vite serait le mieux. Je suis auprès de Mercedes quand la comtesse lui tient ces propos étonnants par leur esprit de tolérance et leur sagesse :

«Mercedes, le marquis de Cerrano désire t'épouser. Sa naissance et sa position dans le monde sont honorables ; mais sa fortune est médiocre, sa conduite, légère, et son caractère, surtout, peu en rapport avec le tien. Vous ne vous entendrez jamais, et tu ne seras pas heureuse avec lui. Réfléchis bien à tout ce que je viens de te dire : je te laisse libre de disposer de ton sort. Si, malgré mes observations, tu te décides à l'épouser, j'y consentirai[15].

– Alors, ma mère, je décide ! Je l'aime ! Je l'aime ! Je crois qu'il m'aime aussi…

– Peut-être ! Peut-être ! Mais je pose une condition : le mariage n'aura pas lieu avant trois mois. »

Mercedes ne pouvait espérer davantage. Comme les deux amoureux sont pour ainsi dire fiancés, le marquis de Cerrano vient tous les jours faire sa cour, apprivoiser cette belle âme sauvage, voler quelques baisers fort chastes. Une fois assuré de son emprise, il révèle peu à peu sa vraie nature : cet homme est mesquin, jaloux, acariâtre, coléreux, manipulateur, bref, tout le contraire de Mercedes. Un soir, elle finit par me l'avouer : sa mère connaît mieux qu'elle les hommes, mais aussi les femmes, car au lieu de provoquer l'esprit indépendant de sa fille, elle lui donne le temps de se rendre compte par elle-même des graves insuffisances du marquis de Cerrano.

« Tu ne seras pas heureuse avec lui ! » Ces mots de sa mère viennent la hanter à chaque instant. Et un jour, le marquis se permet une quelconque indélicatesse qui fait déborder le vase, à la toute veille du mariage… dont Mercedes ne veut plus entendre parler ! Il est temps : le trousseau est complété, tous les préparatifs, achevés, les invités qui habitent loin sont déjà en route, la comtesse vient d'acheter à sa fille deux chevaux et un carrosse dont elle veut justement discuter la couleur… quand Mercedes lui annonce sa décision tardive autant qu'irrévocable ! La comtesse ne manifeste pas l'ombre d'une contrariété et embrasse sa fille avec affection : « Comme tu me rends heureuse, chère Mercedes ! Ta décision, ton courage font honneur à ton jugement… »

Avec ce sourire qui l'a rendue célèbre à Madrid (entre autres choses !), la comtesse conclut l'entretien en glissant à l'oreille de sa fille : « Nous reparlerons un autre jour de la couleur du carrosse… »

7

Comédie cruelle à Bayonne

La comtesse a toujours le titre de dame de compagnie de la reine Marie-Louise, mais cela n'a plus d'importance, la couronne étant maintenant sur la tête de Ferdinand VII. Elle trouve insignifiant et laid ce jeune homme de vingt-quatre ans… moins laid tout de même depuis qu'il est roi! Elle oublie vite Manuel Godoy en pleine disgrâce… et finit par se retrouver dans le lit du roi Ferdinand, lieu privilégié pour exercer une influence politique! Sans grand effort, la comtesse réussit à convaincre le jeune roi de l'indiscutable compétence en matière militaire du général O'Farrill… qui lui ferait un sacré bon ministre de la Guerre!

Dieu merci, le général ne se doute pas de cette particulière intervention de sa petite-nièce et accepte le poste sans débordement de joie: il connaît trop bien l'état lamentable des armées royales, auxquelles il faudra bientôt demander de défendre le pays contre les hordes sauvages de Napoléon, grappillées ici et là par un conquérant toujours en manque de chair à canon. Ainsi, les soldats «français» sont souvent allemands, italiens, polonais, voire autrichiens. Dans le fin fond du Danemark, Napoléon compte même au nombre des siens au moins trente mille soldats espagnols, arrachés à l'ami trop complaisant, le vieux roi Charles IV. Maintenant découronné, il ne se doute pas que, très bientôt, Napoléon le remerciera à sa façon par un acte de perfidie à couper le souffle au plus obtus admirateur de l'*emprrrreur*!

Rue del Clavel, il n'est question que des événements politiques, dont nous apprenons les moindres particularités au fur et à mesure: d'abord par les domestiques, ensuite par la comtesse qui fréquente Ferdinand VII, surtout la nuit, et par l'oncle O'Farrill qui, surtout le jour, siège au cabinet du nouveau roi. Par défaut, notre sympathie va à Ferdinand, comme c'est le cas de la majorité des Espagnols, exaspérés par les revers militaires, la situation économique désastreuse, la trop longue tyrannie de Manuel Godoy et la menace que laissent planer sur le pays les ambitions de Napoléon… sans parler des Anglais qui s'infiltrent depuis le Portugal sous prétexte de nous porter secours!

Je viens encore de dire «nous», comme si tout cela me concernait, moi, Cangis! À la vérité, je pense que leur nouveau roi Ferdinand est un bec-jaune, un dégénéré, un sinistre imbécile, encore moins éclairé que son vieux père, si c'est possible. Par instinct patriotique, sans doute, les fiers Espagnols fondent leurs espoirs sur le nouveau roi… qu'ils appellent *El Desiderado*, le Désiré! Ce qu'il ne faut pas entendre!

Les gazettes annoncent la visite de Napoléon à Bayonne, située bien près de la frontière espagnole… Il manifeste le désir – ses désirs sont des ordres! – de rencontrer la famille royale d'Espagne, soit Charles IV qui vient d'abdiquer, la reine Marie-Louise absolument furibonde de perdre sa couronne en raison de la pusil-lanimité de son mari, les jeunes princes, dont Ferdi-nand VII, proclamé roi depuis peu mais pas encore re-connu par la France. Pour ajouter au cynisme de cette étonnante réunion, Napoléon invite Manuel Godoy, presque de la famille, si j'ose dire !

La comtesse fait un noble effort pour convaincre son nouvel amant Ferdinand de ne pas se rendre à Bayonne. Cette femme perspicace a déjà flairé le piège posé à la famille royale, mais ne réussit pas à persuader le jeune roi, comme tout le monde impressionné par Napoléon, et croyant, dans sa candeur sans borne, pou-voir s'entendre avec l'empereur et lui faire reconnaître sa couronne. Il propose même d'épouser une princesse de la famille Bonaparte ! Le frère Lucien n'a-t-il pas une fille en âge de se marier ? Charmant !

Le gamin aurait mieux fait d'écouter les conseils de sa maîtresse ! Le 10 avril 1808, il se met en route pour Bayonne, après avoir formé une junte suprême de gou-vernement pour exercer le pouvoir en son absence. Il fait mine d'oublier que Madrid est occupée par l'armée française, sous le commandement de Murat, nommé lieutenant général du royaume par le pauvre Charles IV. Sur ordre de Napoléon, le grand-duc de Berg, comme il faut appeler sans rire le maréchal Murat, a convoqué une autre junte de notables espagnols expédiés en hâte à Bayonne... pour jouer les figurants !

Le trône de Ferdinand VII, roi acclamé par un peu-ple qui ne le connaît pas encore, reste bien fragile aussi longtemps que Napoléon le boude et continue de re-connaître Charles IV qui, d'ailleurs, au bout de quelques jours, est revenu sur son abdication, prétextant qu'on la lui a arrachée de force. Pour confirmer sa royauté, lui aussi compte sur Napoléon.

Le premier de la famille, Ferdinand VII arrive à Bayonne le 20 avril, convaincu d'être reçu à bras ouverts par le grand empereur. On le fait attendre… Une semaine plus tard, il est rejoint par Godoy en personne, libéré de prison par Charles IV, à la demande expresse de Murat… c'est-à-dire de Napoléon! Enfin, le 30 avril, le vieux roi et la reine Marie-Louise arrivent à leur tour. Tous les acteurs en place, la comédie peut commencer!

Le metteur en scène a l'idée cruelle de lever le rideau sur un grand dîner avec tous les personnages assis à la même table présidée par Napoléon qui, bien sûr, s'amuse à voir s'entre-déchirer des membres de la famille exécrée, les Bourbons. Le père et le fils s'insultent comme garçons bouchers, la mère crie, hurle, braille, Godoy a des paroles peut-être plus sensées, mais absolument personne ne l'écoute.

Plus tard, Napoléon reçoit enfin Ferdinand, lui fait vaguement miroiter une reconnaissance de sa légitimité en l'appelant tantôt Altesse, tantôt Majesté… Un gros chat joue avec une minuscule souris, la mordille presque amicalement, la laisse courir, la rattrape… avant de l'aplatir d'un solide coup de patte: Ferdinand VII doit abdiquer sur-le-champ et remettre la couronne à son père! «Allez hop! Altesse!» Pour le consoler, Napoléon l'élève à la dignité de prince impérial – ce qui ne signifie pas grand-chose – avec une rente d'un million de francs – c'est déjà mieux, mais pas trop cher payé le trône des Espagnes et des Indes! Enfin, pour le garder à l'œil, Napoléon installe son nouveau prince impérial dans un château à Valençay, sorte de prison dorée… où il peut même recevoir ses maîtresses! La comtesse ne viendra pas, qui n'a de goût que pour les princes régnants…

Deuxième acte. Redevenu roi, Charles IV a soudain droit à tous les égards et aux plus gluantes obséquiosités de Napoléon, à grand renfort de «Votre Majesté très catholique»… Ça le flatte assez, le vieux, la reine Marie-Louise retrouve son sourire hautain et toute sa morgue. Mais leur second règne dure ce que durent les roses… Passant brutalement des flatteries au ton raide et dur qui lui est plus familier, Napoléon exige l'abdication immédiate en sa faveur d'un Charles IV complètement éberlué, devant une Marie-Louise en pleine crise d'hystérie! Le roi s'exécute, il a l'habitude… Toujours généreux avec l'argent du peuple, l'empereur lui offre une pension annuelle de trente millions de réaux, et les châteaux de Compiègne et de Chambord… sous la garde de soldats français! Avec une effronterie calculée, il leur suggère, si ça leur chante, d'inviter Manuel Godoy à partager leur exil… Voilà qui donne envie de vomir!

Troisième acte. Disposant maintenant de la couronne d'Espagne, Napoléon annonce aux deux rois déchus, à leurs cours et à un semblant d'assemblée nationale espagnole convoquée par Murat et envoyée en catastrophe à Bayonne, qu'il donne à l'Espagne un roi aimable, bon, cultivé, souhaitant le bonheur du peuple: son frère Joseph! Et tous de crier: «Vive le roi!»

Rideau.

Après ses rencontres avec les débris espagnols des Bourbons, Napoléon est convaincu de leur insignifiance, comme il l'écrit à Talleyrand, le 1er mai 1808, dans une lettre dont la comtesse a eu copie, on verra comment:

«Charles IV est un brave homme, l'air d'un patriarche franc et bon ; Marie-Louise a son cœur et son histoire sur sa physionomie, cela passe tout ce qu'il est possible d'imaginer ; Ferdinand est très bête, très méchant, très ennemi de la France : vous sentez qu'avec mon habitude de manier les hommes, son expérience de vingt-quatre ans n'a pu m'en imposer ; Godoy commence à reprendre ses sens ; il a l'air d'un taureau, avec quelque chose de Daru[16]. »

Admirons en passant cette fine analyse, ce jugement tout en nuances, inspiré par une belle modestie...

Si le rideau tombe sur la cruelle comédie qu'on a fait jouer à la famille royale d'Espagne, il se lève sur un drame : celui de l'infortuné Joseph Bonaparte, devenu malgré lui roi d'une Espagne piétinée à la fois par la soldatesque française et les guérilleros espagnols sans feux ni loi.

8

Joseph Ier, nouveau roi d'Espagne

Napoléon a souvent parlé du projet espagnol à son frère aîné, alors roi de Naples et des Deux-Siciles. Pas fou, Joseph a toujours refusé le trône d'Espagne, plutôt content de son petit royaume dont il a amélioré le gouvernement tout en s'amusant beaucoup à décorer les gens, à discuter littérature au cours de dîners somptueux et à embellir Naples.

Cela n'empêche pas Napoléon d'annoncer au monde le nom du nouveau roi d'Espagne qui ne se doute de rien et qui, vingt fois déjà, a refusé cette couronne plus riche d'épines que de pierres précieuses.

L'empereur se moque bien de la volonté claire de son frère Joseph, seuls comptent ses intérêts immédiats, et avec un cynisme caractéristique, il lui envoie cette lettre incroyable, le 6 mai 1808 :

«Le roi Charles me cède tous ses droits à la couronne d'Espagne. Le prince des Asturies avait renoncé, avant, à son prétendu titre de roi. La nation, par l'organe du Conseil de Castille, me demande un roi. C'est à vous que je destine cette couronne. L'Espagne n'est pas le royaume de Naples… Elle a d'immenses revenus et la possession de toutes les Amériques. Vous recevrez cette lettre le 19. Vous partirez le 20 et vous serez ici (à Bayonne) avant le 1ᵉʳ juin… Gardez du reste le secret[17]. »

Il peut bien parler du secret, le misérable, lui qui fait intercepter tous les courriers d'Europe! Il connaît l'hostilité des Espagnols à l'endroit de Joseph, déjà appelé l'« Intrus ». Pour endormir les inquiétudes de son frère, l'empereur interdit l'entrée en France de toute nouvelle désagréable au sujet de la situation en Espagne.

En arrivant à Bayonne, Joseph est accueilli en triomphe avec fanfares, coups de canon, carillons des églises, « Vive le roi! » crié en chœur par les cent cinquante « députés » rassemblés par Murat, tous Espagnols éminents, et… par la famille royale déchue!

Comme l'écrit un ami du général O'Farrill, le comte Miot de Mélito, témoin de l'événement:

« En arrivant à Bayonne, Joseph se trouva environné de toutes les séductions et de toutes les grandeurs de la royauté, il y reçut les hommages empressés des grands d'Espagne, des députés de la junte et des principaux personnages qui avaient suivi l'ancienne cour et composé la maison de Charles IV et des infants. Des protestations de dévouement et d'amour retentissaient de toutes parts autour de lui[18]. »

En d'autres termes, il aurait fallu à Joseph une tête bien solide pour résister à pareil enthousiasme de la part d'un aussi grand nombre d'Espagnols éminents. Par contre, ce qu'il ignore encore: tout le peuple est contre lui et reste fidèle à Ferdinand, *El Desiderado*.

Pour rassurer les Espagnols et surtout son frère, l'empereur publie le 6 juin 1808 cette impressionnante proclamation dont sans doute il ne pense pas un traître mot:

« La junte d'État, le Conseil de Castille, etc., nous ayant, par des adresses, fait connaître que le bien de l'Espagne voulait que l'on mît promptement un terme à l'interrègne, nous avons résolu de proclamer, comme nous proclamons par la présente, notre bien-aimé frère Joseph-Napoléon, actuellement roi de Naples et de Sicile, roi des Espagnes et des Indes. Nous garantissons au roi des Espagnes l'indépendance et l'intégrité de ses États, soit d'Europe, soit d'Afrique, soit d'Amérique[19]. »

Du vent, du vent, encore du vent! De même la nouvelle constitution offerte à l'Espagne et à laquelle Napoléon fait mine de travailler avec la députation espagnole. Une constitution plus près des vues libérales de Joseph que de l'autoritarisme rigide de l'empereur, qui se moque de toutes les constitutions et de toutes les Espagnes!

Homme généreux et naïf, le roi Joseph se met à croire qu'il pourra apporter le bonheur à son nouveau peuple, comme il a assez bien réussi à Naples. C'est compter sans les éventuelles ingérences de Napoléon, qui préfère soumettre les peuples plutôt que les rendre heureux.

Rassuré, le roi Joseph prend la décision de se mettre en route pour Madrid où, croit-il, « son » peuple l'attend à bras ouverts.

Le 11 juin 1808, sur les conseils saugrenus d'on ne sait quel notable de la cour, le nouveau roi lance une première proclamation à ses peuples des Espagnes, des Amériques et d'ailleurs, en commençant par l'énumération de ses nouveaux titres, selon la coutume espagnole, à ce qu'il paraît:

« Don José, par la grâce de Dieu, roi de Castille, d'Aragon, des Deux-Siciles, de Jérusalem, de Navarre, de

Grenade, de Tolède, de Valence, de Galice, de Majorque, de Minorque, de Séville, de Cerdagne, de Cordoue, de Corcega, de Murcie, de Santiago, des Algarves, d'Algésiras, de Gibraltar, des îles Canaries, des Indes occidentales et orientales, des îles de Terre-Ferme de l'Océan, archiduc d'Autriche, duc de Bourgogne, de Brabant et de Milan, comte de Habsbourg, Tyrol et Barcelone, seigneur de Biscaye et de Molina[20]…» Etc., etc., etc.

Si je n'avais moi-même lu cette proclamation sur un mur à la Puerta del Sol, j'aurais cru à une moquerie, comme les auteurs comiques en font déjà sur le dos de Joseph. Napoléon, qui aime s'appeler empereur des Français, sans plus, ne la trouve pas drôle et fait savoir à son aîné que le titre de roi des Espagnes et des Indes devrait lui suffire !

Accompagné d'une imposante suite, formée des plus grands noms de la noblesse espagnole, Joseph Ier quitte enfin Bayonne le 8 juillet 1808, loin d'imaginer le long calvaire qui l'attend. Pour toute protection : une mince escorte de quinze cents soldats français, tout ce qu'on a pu grappiller dans le voisinage, les armées de l'empereur étant fort occupées à guerroyer en Espagne et en Portugal. À peine cela suffit-il à protéger le convoi contre les guérillas et les armées régulières espagnoles restées fidèles à Ferdinand : l'une d'elles risque de couper au roi la route de Madrid !

Pour Joseph, un brutal retour à la réalité, marqué par la débandade de sa noble suite qui fond à vue d'œil : ducs d'un côté, marquis de l'autre ne veulent pas risquer leur aristocratique peau auprès d'un roi sans doute bien intentionné, mais qui, malgré lui, soulève les haines populaires.

Après douze jours de chemins exécrables et d'embuscades, Joseph finit par arriver dans sa morne capitale, où les habitants manifestent leur mépris par un silence épais, hargneux, lourd comme une cape de plomb. Au palais, malgré tout, la noblesse l'accueille avec cordialité et, trois jours plus tard, le proclame roi selon les traditions espagnoles. Dans un geste généreux, Joseph Iᵉʳ invite tous les ministres de Ferdinand VII à garder leurs fonctions. L'oncle O'Farrill demeure donc ministre de la Guerre dans le gouvernement de l'Intrus. Cela me semble en contradiction flagrante avec son récent discours sur le danger mortel que représente Napoléon pour l'Espagne.

Ce soir, le général rassemble la famille dans le grand salon de la rue del Clavel et, avec le ton grave des circonstances graves, se met en frais de nous exposer ses problèmes de conscience. Mercedes s'assoit à sa droite, la comtesse à sa gauche, comme pour le soutenir en ce moment difficile :

« L'Espagne, vous êtes à même de le constater, est en pleine anarchie. Les grandes armées de Napoléon, commandées par ses meilleurs généraux, ont du mal à tenir les principales villes du royaume, tandis que la population, armée de couteaux et de fourches, s'acharne contre les chefs militaires et civils et tous ceux qui ont eu des faveurs de Charles IV ou de Godoy, son âme damnée. On tue, on égorge, on brûle, on pille, l'Espagne s'avilit aux yeux du monde civilisé et à ses propres yeux…

– Mais alors, demande la comtesse, il nous faudrait collaborer avec l'ennemi, reconnaître le roi Joseph, seul capable de rétablir l'ordre ? Cela ne me semble pas très espagnol.

— Mon enfant, je comprends tes craintes, et il m'en coûte de servir le frère du bourreau de l'Europe…

— Ne serait-il pas un cheval de Troie envoyé par Napoléon ? Joseph nous fera croire qu'il veut défendre l'Espagne pour mieux aider son frère à s'en emparer…

— Peut-être… Peut-être…, dit le général O'Farrill, songeur. Mais j'ai longuement parlé avec le nouveau roi et je le crois sincère.

— Ferdinand VII n'est-il pas notre roi ? demande la comtesse, dans un sursaut de fierté.

— À Bayonne, il a abdiqué en faveur de son père, qui a lui-même abdiqué en faveur de Napoléon, qui a remis la couronne à Joseph. On ne peut tout de même pas être plus royaliste que le vieux Charles, ou que Ferdinand, petit despote doublé d'un poltron ! Que ça nous plaise ou non, Joseph Ier représente la légalité, l'ordre, l'assurance d'une monarchie constitutionnelle plus près du peuple.

— Bref, conclut la comtesse dans un soupir, vous avez choisi le moindre mal.

— Je le crois, en mon âme et conscience ! D'ailleurs, la noblesse et toutes les autorités de Madrid ont reconnu le roi Joseph et se sont précipitées pour le féliciter… Comme moi, elles l'ont fait d'abord par amour de l'Espagne, pour la protéger malgré elle contre les épouvantables misères subies par les pays qui résistent à Napoléon, et l'horrible perspective d'une guerre civile.

— Le moindre mal…, murmure tristement la comtesse.

— Je me trompe peut-être, l'histoire jugera, mais je m'engage à défendre ma patrie avec l'aide du nouveau roi, dont la pensée politique s'inspire des principes révolutionnaires, comme il en a donné la preuve au cours de son règne bienfaisant à Naples[21].

– Et maintenant, tranche joyeusement la comtesse, je propose une partie de whist!»

9

Le roi et sa cour en fuite…

À l'invitation pressante de la comtesse, le général O'Farrill et sa femme s'installent chez nous, rue del Clavel. Ils occuperont les appartements du premier étage et le reste de la famille, le rez-de-chaussée. Pour traverser les heures difficiles qui s'annoncent, cet arrangement nous apporte à tous un grand réconfort.

La comtesse continue d'accueillir dans ses salons la plus belle société madrilène, à laquelle viennent s'ajouter officiers et hauts fonctionnaires français et quelques amis du nouveau roi.

Joseph se rend compte de la situation précaire dans laquelle il se trouve, au milieu d'un pays où les armées françaises s'épuisent sans vaincre ce peuple courageux. Même Madrid est un coupe-gorge où les Français et les *afrancesados*, c'est-à-dire les Espagnols qui collaborent avec le nouveau roi, sont tous menacés de mort. Mais Joseph espère qu'il finira par toucher les cœurs, grâce à sa volonté réelle d'apporter la paix et le bonheur à ce pays déchiré.

Puis, arrive Bailén! La première victoire espagnole contre l'armée française! Un miracle!

Aux quatre coins de la péninsule, les Espagnols sont en pleine allégresse, ils s'embrassent en criant : « Bailén ! Bailén ! Bailén ! » Agenouillés en pleine rue, ils rendent grâce à tous les saints du ciel !

On n'avait jamais entendu parler de cette insignifiante petite ville, perdue quelque part en Andalousie. Or voilà que son nom est sur toutes les lèvres : « Bailén ! Bailén ! Bailén ! » Ce cri inattendu nous assaille de toutes parts, s'infiltre par les fenêtres de la rue del Clavel, de la rue de los Panaderos…

« Vite, à la bibliothèque ! » lance Mercedes.

Dans notre recueil de cartes géographiques de l'Espagne, il nous a fallu un bon moment pour trouver cette chiure de mouche quelque part entre Cordoue et Grenade.

« Courons à la cuisine ! »

Bien entendu, cochers et femmes de chambre, espagnols jusqu'à la moelle des os, passionnés par la guerre dite d'indépendance, savent bien avant nous ce qui se passe à travers l'Espagne et – cela en dit long sur l'état des choses ! – ils sont au courant de la victoire de Bailén avant même Joseph Ier, roi des Espagnes et des Indes !

Dans la cuisine, nous en apprenons de belles : les mouvements de l'armée française en route pour Bailén ont été sérieusement retardés par la lenteur des carrosses chargés du produit d'un pillage éhonté, par exemple dans la ville de Cordoue. Chaque officier avait au moins un chariot, les soldats traînaient des ânes écrasés sous les sacs remplis d'argenterie, de bijoux, de vins fins, etc.

Résultat : dix-huit mille soldats français faits prisonniers. Autour de l'insignifiant Bailén, une grande armée de l'invincible Napoléon, commandée par le général

Dupont, vient de se faire anéantir, écrabouiller, battre à plate couture par quelques débris de l'armée espagnole… Voilà au moins un Dupont qui ne sera pas fait duc!

«Bailén! Bailén! Bailén!» On croit entendre une sonnerie de trompettes, le tintement du glas qui annonce peut-être – merci mon Dieu! – la fin de la sanglante aventure napoléonienne!

Les patriotes purs et durs reprennent espoir tandis que les *afrancesados*, même les plus sincères, connaissent la peur; dans l'entourage immédiat du roi Joseph, les défections se multiplient à un rythme affolant, les vieux marquis déjà lourds de décorations, les jeunes comtes ambitieux, hier encore tout fiers des titres ronflants octroyés avec grâce et empressement par le nouveau roi, ne se rendent plus au palais, tout à coup se découvrent des mères agonisantes dans le fin fond des Asturies, des maladies qui les forcent au repos, de préférence au bord de la mer. À Cadix, peut-être, Monsieur le marquis?

Que fera le général O'Farrill, notre guide moral, notre père, grâce à qui toute la famille est devenue *afrancesada* sans trop savoir ce que le mot veut dire? Presque jour et nuit, il est auprès du roi, revenant à la maison pour y dormir quelques heures.

Ce soir, il rentre tôt, absolument épuisé, les traits tirés, le visage blême, plus blanc qu'un Blanc normal. Il s'écroule dans un fauteuil et lance cette courte phrase qui nous frappe comme une dague:

«Le roi quitte Madrid dans vingt-quatre heures et nous partons avec lui!

– Pour aller où? demande la comtesse affolée, qui se croit chez les sauvages dès qu'elle s'éloigne d'une lieue du palais royal.

– À Vitoria, près de la frontière française, où les armées de Napoléon sont en mesure d'assurer la sécurité du roi et la nôtre. »

Moment de silence, lourd comme une vieille armure rouillée.

« C'est joli, Vitoria ? demande timidement Mercedes, qui ne connaît pas encore la grande ville basque.

– Oui, répond le général en riant.

– Nous y demeurerons longtemps ?

– Dieu seul le sait ! Et Napoléon, peut-être…

– Mes malles ! s'écrie la comtesse. Si nous partons dans vingt-quatre heures, je n'ai pas une minute à perdre ! Mes robes, mes souliers, mes bijoux, mes parfums… Jamais je ne serai prête !

– Tu le seras ! tranche l'oncle O'Farrill d'un ton ferme. D'ailleurs, nous n'avons droit qu'à un minimum de bagages… Et les provisions seront plus utiles que les robes au cours des prochains jours… ou semaines, selon l'efficacité des guérilleros !

– Guérilleros ? Mon Dieu ! mon oncle, vous nous épouvantez !

– Quinze cents soldats français nous accompagnent, cela devrait limiter les risques.

– Tout de même ! Quel sacré voyage vous nous proposez là !

– Pas un voyage, ma fille, un exode ! »

Le général se lève et nous dit bonne nuit en refusant de dîner.

Bailén lui ayant donné le coup de grâce, le roi Joseph ne cache pas son désarroi dans cette lettre à l'empereur, datée du 24 juillet 1808, dont une copie est tombée entre les mains de la comtesse :

«Nous n'avons bientôt plus le sou; Henri IV avait un parti, Philippe V n'avait à combattre qu'un compétiteur; et moi j'ai pour ennemi une nation de douze millions d'habitants, braves, exaspérés au dernier point. Les honnêtes gens ne sont pas plus pour moi que les coquins. Non, Sire, vous êtes dans l'erreur: votre gloire échouera en Espagne[22]. »

Joseph a ses défauts, mais dans bien des circonstances sa vision des choses politiques est plus juste que celle de son frère, le «grand» Napoléon. Et des gens qui le connaissent bien, comme l'oncle O'Farrill, prétendent qu'il aurait fait un meilleur empereur des Français que son frère…

Quand, le 29 juillet 1808, après y avoir régné dix jours, Joseph décide de quitter sa capitale, Madrid est à peu près sans défense. Il se résigne à abandonner à leur sort environ deux mille Français, malades ou blessés, entassés dans les hôpitaux, terrifiés à l'idée d'être égorgés par la populace. Jamais je n'oublierai le spectacle de cette cohorte d'invalides amputés d'une jambe ou d'un bras, de malades suffoquant de typhoïde, délirant de malaria, d'agonisants même, s'enfuyant des hôpitaux comme s'il y avait le feu, pour aller accrocher leurs misères à la caravane de Joseph, déjà débordante de tous les fonctionnaires français venus en hâte apprendre à ces sauvages comment fonctionne un pays civilisé, et des Espagnols *afrancesados*, les uns et les autres à moitié morts de peur.

On pousse la comtesse, Pepita et moi dans une voiture avec la moitié de nos bagages, le reste abandonné dans la rue, quand d'autres vont en charrette, à dos d'âne, à pied… Felipe fouette les chevaux avec une vigueur inquiétante pour nous distancer du titubant troupeau des éclopés, pour qui nous n'avons pas l'ombre d'une place.

De ce voyage cauchemardesque, un seul bon souvenir : l'arrivée à Vitoria, ville espagnole occupée par les soldats de Napoléon... dont on attend tous la venue prochaine pour sauver la situation ! Il écrit à Joseph : « Mon frère, il faut que j'y sois[23] ! » Tu peux le dire !

Dans le malheur, Joseph reste courageux et digne, évitant le moindre mot de reproche à l'endroit de son frère, qui pourtant l'a bel et bien trompé sur l'attitude de la vaste majorité des Espagnols, décidés à repousser les envahisseurs, aussi bien intentionnés soient-ils.

À l'opposé de notre petit groupe, la foule s'en donne à cœur joie dans tout le pays, particulièrement à Madrid. Les domestiques laissés derrière, rue del Clavel, sont témoins de l'allégresse de tous les Madrilènes... à laquelle ils participent, sans aucun doute ! Une jeune femme écrit cette lettre qui exprime le sentiment général :

« Nous sommes fous de joie, on a descendu la châsse de saint Isidore et celle de Santa Maria de la Cabesa, qui n'avaient pas bougé depuis vingt et un ans. Tout Madrid s'enrôle et apprend l'exercice : maris, garçons, veufs, moines, curés, tous veulent partir[24]... »

On chante, on danse dans la rue, on multiplie messes, Te Deum et processions, une junte de guerre rassemble tous les hommes de dix-sept à quarante ans au cri de « Mourir pour la patrie, le roi, la religion ! » Les paysans répondent à l'appel, couteau à la main, se joignent à la plus féroce des guérillas sous le signe de l'anarchie : on veut égorger, étouffer, occire tout ce qui ressemble à un Français.

Avec une certaine fierté, mais prenant soin de n'en rien dire à l'oncle O'Farrill, toujours aux prises avec son «âme et conscience», la comtesse nous apprend que même Cuba participe au mouvement général contre l'usurpateur Joseph et en faveur de Ferdinand... Réaction identique à Buenos Aires, à Mexico, au Pérou, au Chili, à Saint-Domingue et, à l'autre bout du monde, aux Philippines. Dans tous ces pays, on rêve d'indépendance et de libération de l'impérialisme espagnol. Mais, la mère patrie en danger, on se rallie autour d'elle, on reparlera d'indépendance plus tard...

10

Arrive Napoléon…

Le général O'Farrill nous déniche un logement très convenable, rue Monseñor Cadena, tout près de la vieille cathédrale gothique. Le roi – qui l'est si peu en ce moment! – s'installe dans le palais du marquis de Monte-hermoso, qui déménage en face, dans une plus modeste demeure. La marquise est superbe et Joseph a tôt fait de la remarquer. Elle devient sa maîtresse en titre, ce qui vaudra au marquis d'être nommé grand d'Espagne par un roi reconnaissant et bien élevé. Cette histoire n'empê-che pas le roi Joseph d'aimer sincèrement sa femme, la reine Julie, restée en France avec ses deux filles.

À Vitoria, bien agréable ville, on vit tout de même dans l'attente d'une attaque toujours possible, même si nous sommes protégés de tous les côtés par quelques-uns des meilleurs généraux de l'empire, dont le général Christophe-Antoine Merlin, excellent homme de guerre attaché à la personne de Joseph.

Espagnols et Français s'entendent sur un point: seul Napoléon peut encore redresser la situation et sau-ver le trône de son frère. À quel prix? Peu lui importe!

Le 28 octobre, avec le tact et la discrétion qui le caractérisent, l'empereur annonce au Corps législatif qu'il part à la conquête de Madrid où il fera couronner Joseph et, puisqu'il se trouvera dans le coin, promet de cueillir le Portugal par-dessus le marché… pays alors aux mains des armées anglaises !

Napoléon a toujours le don d'effrayer à mort les pays qu'il s'apprête à conquérir et l'annonce de sa venue prochaine à Vitoria à la tête de la Grande Armée si souvent victorieuse suffit à redonner confiance aux partisans de Joseph et à ébranler sérieusement les espoirs des Espagnols, trop vite remis en confiance par la victoire de Bailén.

Dès qu'il galope en terre étrangère, Napoléon le conquérant se sent tout ragaillardi. Il rajeunit de dix ans ! Le 7 novembre, il entre à Vitoria et, dès le lendemain, rencontre les grands d'Espagne, ministres de Joseph et autres Espagnols éminents, dont la comtesse et l'oncle O'Farrill qui, chaque soir, nous raconte sa journée selon son habitude.

En pleine forme, dans son élément, Napoléon engueule tout le monde tout en expédiant aux quatre vents des décrets, ordres, lettres sur le sort de l'Europe ou sur les plus insignifiants détails. Imaginant à l'avance les pertes énormes que subira son armée, il fait évacuer tous les hôpitaux entre Tolosa et Vitoria afin de « réserver la place aux blessés qui seront le résultat des batailles qui vont avoir lieu[25] », écrit-il froidement. Que fera-t-on des quatre mille malades, parfois agonisants, ainsi mis à la rue ? Qu'ils se débrouillent ! D'autre part, il perd un temps énorme à lire les lettres interceptées par sa police et ses généraux, dans l'espoir de découvrir le secret de la fière résistance espagnole.

Ses bulletins de victoire, dont il surveille la rédaction, sont des tissus de mensonges et d'exagérations. Le maréchal Soult lui apprend la prise de huit cents prisonniers espagnols, Napoléon ajoute un zéro et annonce au monde la capture de huit mille soldats ennemis. Et que ça saute!

L'oncle O'Farrill n'est pas heureux de sa rencontre avec l'empereur, bien au contraire. À propos de rien, l'homme dont on ne cesse de vanter le génie se lève au milieu des nobles espagnols partisans du roi Joseph et se met à insulter, mortifier, humilier l'Espagne tout entière. Comme il ne connaît pas un mot d'espagnol, il se lance dans une harangue de forcené, utilisant parfois le français, parfois l'italien selon l'inspiration du moment. Ceux qui ne comprennent ni l'une ni l'autre de ces deux langues devinent tout de même que l'empereur injurie leur chère patrie, qu'ils ont choisi de servir en servant Joseph, c'est-à-dire au péril de leur vie. Mais plusieurs témoins, dont le général O'Farrill, entendent fort bien le français et l'italien et peuvent savourer ce chef-d'œuvre de la goujaterie impériale, qui donne raison aux ennemis de Joseph. On peut imaginer les sentiments du malheureux roi quand il entend son frère invectiver tout un peuple, «son» peuple, en commençant par les moines, en ce moment plus populaires qu'ils ne l'ont jamais été:

«Ce sont vos moines, hurle l'empereur, qui vous égarent et qui vous trompent! Je suis aussi bon catholique qu'eux (*ah! le menteur!*), et je n'en veux pas à votre religion. Vos prêtres sont payés par les Anglais, et les

Anglais qui, soi-disant, viennent pour vous secourir, veulent votre commerce et vos colonies. Voilà le vrai de leurs desseins. Qu'avez-vous gagné à écouter ces perfides conseils ? J'arrive ici avec les soldats qui ont vaincu à Austerlitz, à Iéna, à Eylau. Qui pourra leur résister ? Sans doute ce ne sont pas vos mauvaises troupes espagnoles qui ne savent pas se battre. Votre pays que j'avais voulu ménager, où je croyais qu'il ne fallait que la force nécessaire pour le maintien de la tranquillité publique et pour la garnison des places fortes, va devenir le théâtre d'une guerre sanglante ; et vous en souffrirez tous les maux. Dans deux mois, l'Espagne sera ma conquête, et j'aurai sur elle tous les droits que la conquête donne au vainqueur. Les traités, les constitutions, tous ces actes qu'un consentement réciproque avait sanctionnés n'existent plus ; je ne serai plus tenu à les exécuter, et si j'en respecte encore quelques-uns, vous le devrez à ma seule générosité. Mais comme je ne pourrais plus me fier à la nation, je prendrai mes sûretés, et si je l'assujettis à un gouvernement militaire, c'est elle qui m'y aura forcé[26]. »

Je ne suis qu'une ignorante petite Négresse, une esclave de rien, mais j'ai au moins dévoré tous les livres d'histoire de la bibliothèque de la comtesse, depuis les pharaons jusqu'à nos jours ! Or, je n'ai pas le souvenir d'avoir lu un discours aussi méprisant et aussi infâme de la part d'un général ou d'un roi. Ce prétendu grand homme est un voyou !

Avec la vitesse d'une épidémie de choléra, ces propos empoisonnés font le tour du monde, on les cite en chaire, on en rit au théâtre, on les traduit en anglais et dans toutes les langues d'Europe, on en discute âprement dans les chaumières et les palais… en passant, sans aucun doute, par la cuisine de la rue del Clavel!

Napoléon cherche à écraser, mais son ignorance absolue de la mentalité espagnole l'empêche de voir qu'on ne peut traiter ce peuple par le mépris sans susciter plus de haine encore. «Les mauvaises troupes espagnoles qui ne savent pas se battre» voudront se venger de l'affront, les moines insultés redoubleront d'effort pour armer la guérilla, les paysans se battront avec leurs haches, égorgeront les Français de leurs mains nues, bref, la conquête de Madrid coûtera des milliers et des milliers de morts de plus. Des deux côtés. Mais c'est là le moindre souci d'un conquérant pour qui une vie humaine n'est rien auprès d'une seconde de gloire: «Je ferai son affaire à l'Espagne avec moins de deux cent mille morts…»

Jamais je ne comprendrai le roi Joseph de n'avoir pas abdiqué sur-le-champ, comme l'honneur le commandait! Et notre très vénérable oncle O'Farrill? Il a avalé cette amère potion sans rien dire. La puissance de cet empereur si redouté reposerait-elle sur la lâcheté des autres?

Je me laisse emporter, j'exagère, l'oncle O'Farrill est quand même un honnête homme… «En mon âme et conscience…»

11

Le retour à Madrid

Au moment de nous mettre à table pour dîner, la veille du 10 novembre 1808, le général nous apprend la nouvelle tant attendue : d'un moment à l'autre, Napoléon quitte Vitoria à la tête d'une armée de cent cinquante mille hommes. Compte tenu des soldats français déjà dans le pays, on évalue à trois cent mille hommes les forces de l'empereur quand il part à la conquête de Madrid, laissant sur son passage la plus incroyable dévastation.

Enfin, après un séjour forcé de deux mois à Vitoria, Joseph, ses ministres, son entourage, les familles d'*afrancesados* comme la nôtre, tout ce beau monde se remet en marche, à quelques jours de distance des troupes, dans des voitures protégées par la garde du roi. Occasion unique de voir l'autre visage de la guerre, sans fanfares, sans beaux uniformes, sans drapeaux qui claquent au vent : juste la détresse et la ruine laissées sur son passage par une armée de Napoléon.

Ami de la famille, le comte de Mélito a vécu cette expérience avec nous et voici ce qu'il en dit :

« En approchant de Burgos, nous traversâmes le champ de bataille… jonché de cadavres. Triste spectacle qui cependant ne fit pas sur moi une impression aussi pénible que l'aspect de cette grande ville, au moment où nous y entrâmes! Les maisons presque toutes désertes et pillées, les meubles brisés et épars en morceaux dans la fange ; un quartier, situé au-delà de la rivière, en feu ; une soldatesque effrénée enfonçant les portes, les fenêtres, brisant tout ce qui lui faisait obstacle, consommant peu et détruisant beaucoup ; les églises dépouillées, les rues encombrées de morts et de mourants ; enfin, toutes les horreurs d'un assaut, *quoique la ville ne fut pas défendue* !… La Chartreuse et les principaux couvents avaient été saccagés. Le monastère de Las Huelgas, le plus riche et le plus noble couvent de femmes de la vieille Castille, était converti en écuries ; les tombeaux que renfermaient l'église et le cloître avaient été ouverts, pour découvrir les trésors que l'avidité y supposait cachés, et les cadavres des femmes qu'ils renfermaient, traînés dans la poussière, étaient abandonnés sur le pavé couvert d'ossements et de lambeaux de linceuls[27]. »

Les Espagnols fuyant les villes avant l'arrivée de l'envahisseur, les troupes impériales ont du mal à assurer leur subsistance. Livrés à eux-mêmes, les soldats pillent sans merci, toute discipline militaire disparaît et Napoléon s'en accommode.

« J'ai vu, révèle encore Mélito, notre ami et malheureux compagnon de voyage, sous les fenêtres mêmes de l'archevêché où logeait l'empereur, un feu de bivouac entretenu par des instruments de musique et des meubles enlevés des maisons, pendant toute la nuit[28]. »

La comtesse, Mercedes, Pepita et moi avons grande envie de visiter le couvent dévasté des chartreux, occasion rare pour des jeunes femmes.

Il y a quelques jours à peine, les moines ont abandonné leur beau monastère, maintenant marqué par la profanation et le pillage. Cela soulève le cœur! À peine a-t-on laissé intact le luxuriant jardin dont Mercedes conserve un souvenir ému:

« Je cueillais les fleurs cultivées par ces bons chartreux, et arrosées peut-être encore l'avant-veille par eux: j'en formais des bouquets, tout en faisant de la philosophie; j'en avais partout, à la main, à ma ceinture, dans mes cheveux…, lorsque je vis un groupe d'officiers français qui me regardaient à une certaine distance et causaient entre eux. C'étaient des curieux comme nous… Mais je m'aperçus qu'ils s'occupaient plus de moi que de la Chartreuse. Je rougis et je rejoignis ma mère. J'ai appris ensuite de mon mari, le général Merlin, qu'il était parmi ces messieurs, et que c'est là qu'il me vit pour la première fois. Il ajouta qu'il m'aima depuis lors, et je l'ai cru sans peine, parce qu'il n'avait plus besoin de me faire la cour: il était mon mari[29]! »

Scandalisé devant le sort fait par Napoléon à l'une des plus belles villes de «son» royaume, le roi Joseph proteste avec vigueur auprès de son frère… qui ne lui répond même pas! Les engagements de Bayonne sont loin, emportés par le souffle de la guerre et, fidèle à lui-même, l'empereur agit en conquérant: il a tous les droits, il oublie les promesses solennelles faites hier au roi Joseph et à l'Espagne tout entière.

Le frère aîné de Napoléon n'a plus l'air d'un roi, même pas d'un prince, se traînant avec l'arrière-garde, comme un otage à utiliser en cas de besoin. «Je n'ai pas l'autorité d'un sous-lieutenant!» s'écrie-t-il, écœuré.

Je le répète, moi, Cangis : un homme plus fier aurait depuis longtemps abdiqué !

Tel qu'il l'avait annoncé, l'empereur arrive à Madrid le 2 décembre 1808. En réalité, comme il n'attend aucune ovation des Madrilènes exaspérés et furieux, il s'arrête à Chamartin, aux abords de la ville. De là partent les bulletins qu'il fait coller sur tous les murs de la capitale. On y peut lire que les moines espagnols sont des êtres « ignares et crapuleux », des « garçons de boucherie », les paysans sont des « fellahs d'Égypte », les soldats espagnols, des « Arabes », les officiers, des « ignorants crasseux », et autres joyeusetés de nature à attiser davantage, si possible, la haine du peuple à l'égard des Français et son mépris de Joseph.

Pour flatter le sentiment des Espagnols, du moins comme il lui paraît, l'empereur fait chanter des Te Deum à l'occasion de la moindre victoire ; il ordonne aux évêques d'Europe d'en faire autant. Un Mgr de Granville, évêque de Cahors, vraiment se surpasse ; il voit dans une défaite espagnole la main de Dieu punissant les cruels vainqueurs des Incas... deux cent soixante-quinze ans plus tard !

« Le sang coule sur le territoire espagnol et semble venger les paisibles habitants du Pérou... De toutes les conquêtes qui ont immortalisé le règne de Napoléon, celle-ci est la plus satisfaisante pour son cœur. Partageons des sentiments dignes d'un monarque qui se glorifie d'être le fils aîné de l'Église[30]. »

L'empereur, on s'en doute, se moque royalement des Incas et autres Aztèques, autant que des « Arabes » et des « Fellahs d'Égypte » ! Son seul regret : n'avoir pu fusiller, massacrer, couper en morceaux davantage de ces misérables soldats espagnols « qui ne savent pas se battre ».

Des hauteurs de Chamartin, Napoléon aperçoit Madrid, ville peu attirante, dont la population se barricade dans les maisons, moins par peur que pour marquer son dédain. Il va tout de même visiter le palais royal, d'une grande somptuosité, qui fait peut-être envie au résidant des Tuileries : « En vérité, mon frère, s'exclame-t-il devant Joseph à la fin de la visite, vous êtes mieux logé que moi[31] ! »

Contrairement à ce qu'il a annoncé au monde, l'empereur renonce à se rendre jusqu'en Portugal pour y aller planter ses griffes. Il ne dépasse jamais Madrid et laisse la « pacification » de l'Espagne à ses généraux, à la tête des grandes armées nécessaires pour tenir en respect cette population indomptable.

Inquiété par les Autrichiens qui reprennent les armes contre lui, Napoléon fait mine de se réconcilier avec son frère et l'implore de demeurer sur le trône bien inconfortable d'Espagne. Joseph régnera à Madrid dans l'ombre de Murat, le vrai roi, et de l'ambassadeur de France, le vrai premier ministre ; tous deux reçoivent leurs ordres directement de Napoléon. Généraux et maréchaux, ducs ou non, considèrent la province qu'ils occupent comme leur propre duché : il y font la pluie et le beau temps, sans jamais consulter Sa Majesté catholique Joseph Ier, roi des Espagnes et des Indes, n'acceptant d'ordres que de l'empereur des Français.

Dernier acte de Napoléon avant de quitter le pays : forcer tous les Espagnols de prêter un serment d'allégeance et de fidélité au roi Joseph dans les églises, *devant le saint sacrement exposé.* Connaissant l'attachement de ce peuple à la religion catholique, il utilise la force pour inciter les gens à mentir sous serment et devant l'ostensoir. Après ce dernier outrage, l'empereur reprend la route... en direction de l'Autriche et de son destin.

12

L'arbre de l'amour…

Retour de la famille au calme (relatif!) de la rue del Clavel : les soirées, les amis, les domestiques, les petites habitudes. Nos mois d'aventure nous ont fait perdre un peu de notre innocence, et Mercedes, jadis si appliquée à ses études, ne s'intéresse plus guère qu'au chant et à la danse, surtout au boléro et au fandango dont elle a la passion, en vraie Espagnole.

Le soir, chez la comtesse ou chez l'oncle O'Farrill, nous faisons la rencontre de jeunes gens intéressants, ou de généraux moins jeunes qui tournent autour de Mercedes, dont le charme et la beauté attirent les regards des hommes de tous âges.

La comtesse et sa tante O'Farrill vont souvent à la cour du roi Joseph. Un soir, il leur demande de bien vouloir lui emmener Mercedes et Pepita, espérant ainsi attirer au palais d'autres jeunes Espagnols de l'aristocratie… sans oublier les officiers français! Quelques jours plus tard, les deux filles de la comtesse sont enfin présentées au roi. Il est hors de question qu'une esclave noire les accompagne… ce qui aurait pu rappeler aux Français et aux Espagnols la honte de l'esclavage, toujours présent dans leurs colonies.

À son retour du palais royal, Mercedes se rend droit à ma petite chambre, où je dors déjà. Elle me réveille pour partager avec moi ses premières impressions:

«Le palais était éblouissant de lumières. Tous ces militaires français, avec leurs brillants uniformes, et ces dames françaises nouvellement arrivées, avec leurs fraîches modes de Paris… On s'occupait de Pepita et moi: les hommes avec plaisir, les femmes avec curiosité. Le roi me plaît beaucoup; il a des manières charmantes et convenables, de beaux yeux, de belles mains, et certaine coquetterie de bon goût qui lui va à merveille. Les dames françaises nous regardaient et chuchotaient. Nous étions bien mises: du crêpe blanc, des fleurs et de la jeunesse. Nos manières étaient timides, sans embarras. Cela les étonnait peut-être[32]…»

Ce que Mercedes et Pepita ignoraient encore – elles étaient bien les seules à Madrid! – c'était l'histoire d'amour passionné qui rapprochait maintenant leur mère et le roi. On voit souvent la berline bleue de la comtesse devant le palais, et plus souvent encore celle du roi rue del Clavel. Presque tous les après-midi, parfois le soir…

Dans le jardin intérieur, les deux amants se retrouvent sur un banc, à l'ombre d'un grand arbre… que les domestiques et bientôt tout le monde à Madrid appellent *el arbol del amor*, l'arbre de l'amour.

À l'insu de la famille, il m'arrive d'observer de loin la comtesse et son roi depuis le soupirail d'une chambre à débarras. L'arbre est intensément feuillu: on y devine à peine la présence de deux personnes assises sur le banc de bois. Mais je les vois mieux au moment de l'arrivée du roi, qui baise la main de la comtesse avec une élégance et une grâce, ma foi, royales!

Il n'a jamais les mains vides: un jour, il offre à la comtesse des chocolats fins, tout juste arrivés de Paris, à cheval, avec le dernier courrier; une autre fois, c'est un livre ancien et précieux, sans doute «emprunté» à la riche bibliothèque de l'Escurial; le plus souvent, le roi présente un gracieux baguier contenant une broche en filigrane d'or de Grenade, une bague au chaton serti d'aigues-marines, une fine chaîne d'argent retenant une grosse perle de la mer Rouge...

Sous le bras gauche du roi, une mince serviette en maroquin noir, ornée de ses armes, remplie de documents secrets, projets de décrets, brouillons de lettres, dont il veut discuter avec la comtesse. Non seulement il apprécie la bouleversante beauté de cette femme parfaitement épanouie, mais aussi son jugement et son instinct politique.

Sans doute sous l'influence du général O'Farrill, son oncle chéri, la comtesse a tôt choisi son camp. Elle devient *afrancesada* dès que Joseph Ier remplace Ferdinand VII sur le trône d'Espagne... comme il le remplace bientôt dans son lit! Cette passionnée aime son nouveau roi avec toute l'ardeur dont elle est capable, et ce n'est pas peu dire, mais en plus elle admire ses qualités d'âme, sa volonté pathétique de devenir espagnol, de défendre l'indépendance de son nouveau pays même contre les menées impérialistes de son frère. En soutenant le courage de ce roi au trône si mal assuré, la comtesse joue un petit rôle historique dont elle est assez fière...

Joseph veut le bien du pays, on n'en peut douter. Il se prend pour le roi d'Espagne et cela irrite Napoléon qui l'a pourtant lui-même couronné... presque de force! L'empereur aime distribuer les royaumes aux membres de sa famille ; il appelle pompeusement ses frères «Votre Majesté», mais les considère tous comme des vassaux, sortes de préfets à la tête de pays considérés par Napoléon comme des provinces.

Quand Joseph écarte les Français et choisit pour diriger son gouvernement des Espagnols de qualité, genre O'Farrill, il fait sourire son frère. Et quand il adopte les uniformes espagnols pour sa garde et crée un ordre royal espagnol, sa propre Légion d'honneur, Napoléon ne cache plus son agacement ; surtout il tolère mal ce qu'il appelle la «faiblesse» de Joseph, que d'autres qualifient de bonté, de générosité, de grandeur d'âme.

Voici le genre de conseils donnés par l'empereur à son frère aîné dans une lettre de Valladolid, datée du 12 janvier 1809, et qui s'est trouvée un moment dans les affaires de la comtesse :

«Il faut faire pendre, à Madrid, une vingtaine des plus mauvais sujets. Demain, j'en fais pendre ici sept connus pour tous les excès, dont la présence affligeait les honnêtes gens, qui les ont dénoncés secrètement, et qui reprennent du courage en s'en voyant débarrassés...»

Ma parole! Napoléon invite carrément son frère à terroriser les Madrilènes en exécutant de prétendus «mauvais sujets» sur la foi de dénonciations «secrètes»... peut-être anonymes! Voilà qui aurait suffi à donner le haut-le-cœur à un roi Joseph épris de justice. Mais Napoléon n'a pas terminé son prêche édifiant :

«Si l'on ne débarrasse pas Madrid d'une centaine de ces boutefeux, on n'aura rien fait. Sur ces cent, faites-en pendre ou fusiller douze ou quinze, et envoyez le reste en France aux galères. *Je n'ai eu de tranquillité en France, et je n'ai rendu de la confiance aux gens de bien, qu'en faisant arrêter deux cents boutefeux, assassins de septembre, et en les envoyant dans les colonies. Depuis ce temps, l'esprit de la capitale a changé comme par un coup de sifflet*[33]. »

Quelle sagesse ! Quelle connaissance profonde de la nature humaine ! Et quelle délicatesse dans la pensée et dans l'expression !

Il peut sembler incroyable qu'une petite Négresse, esclave par-dessus le marché, ait pu avoir entre les mains, même l'espace de quelques minutes, une lettre de l'empereur Napoléon à son frère Joseph, roi d'Espagne. Et pourtant, c'est l'exacte vérité, et cette lettre n'est pas la seule que j'ai pu trouver dans la serviette du roi, souvent abandonnée dans la chambre de la comtesse pendant qu'elle accompagne au théâtre son royal amant…

Devrais-je être gênée de mes indiscrétions ? m'en accuser au père Anselme, confesseur attitré de la famille, et promettre de ne plus recommencer ? Je ne crois pas. Esclave noire de rien du tout, ce que je fais, ce que je pense et ce que je sais n'a aucune importance aux yeux du monde. Oui, j'ai lu quelques lettres du roi Joseph et de l'empereur Napoléon. Par curiosité malsaine ? Non. Je m'intéresse à l'histoire, voilà tout ! Et ça ne trouble ma conscience en aucune manière.

Maintenant, je comprends pourquoi l'empereur demande à sa police d'intercepter toutes les lettres qui circulent dans son empire : il apprend bien des secrets d'alcôve, mais aussi les inquiétudes de ses sujets sur l'actualité, c'est-à-dire sur lui!

On peut bien spéculer à mort sur les motivations profondes du roi Joseph, ses nobles ambitions pour l'Espagne, ses velléités de renoncer au trône, son désir souvent refoulé de retrouver une vie modeste et heureuse auprès de sa Julie et de ses deux filles dans leur beau domaine de Mortefontaine, à quelques lieues de Paris[34]. Moi, je sais le fond de sa pensée après avoir lu, hier soir, à la lueur d'une bougie, la lettre du roi Joseph à la reine Julie, datée du 8 novembre 1809, cette reine qu'il ne réclame pas à ses côtés, lui évitant ainsi les humiliations et les dangers de Madrid, son lot de tous les jours. L'a-t-il fait lire à la comtesse pour la convaincre qu'il ne lui cache rien et pour qu'elle sache le message clair envoyé à l'empereur par la plus efficace des intermédiaires? Je l'ignore, mais cette lettre m'a beaucoup touchée, et mon estime pour ce roi tourmenté et malheureux s'en est trouvée accrue:

«Chère Julie,

«L'Empereur paraît me bouder depuis quelques mois, il ne m'écrit plus. Cependant, ma conduite est irréprochable à mes propres yeux, et il n'y a pas d'apparence qu'elle varie jamais. Si elle lui a déplu, elle lui déplaira encore; et cependant je ne puis rien être ici que par lui. Si ses sentiments pour moi ont changé, je dois désirer une position où je n'ai pas constamment besoin de toute la plénitude de sa puissance et de sa bienveillance affectueuse. Le métier que je fais est intolérable tel qu'il est aujourd'hui. Si les rapports de l'Empereur avec moi ne doivent pas changer, il faut que ma position change; si sa conduite a eu pour objet de me dégoûter de l'Espagne, son but est rempli. Toute autre destination politique me conviendra mieux. S'il lui convient de me laisser retirer au fond d'une province, loin des routes fréquentées, avec ma famille et un très petit nombre de personnes peu signifiantes, je lui promets d'y vivre comme si jamais je n'avais connu d'autre état. Je ne paraîtrai jamais à Paris : des livres, des arbres, me distrairont, et mes enfants m'amuseront. Enfin, tout genre de vie me convient, nul n'est au-dessus ni au-dessous de moi ; mais l'humiliante posture qu'on voudrait me faire tenir sur le trône d'une grande nation ne me convient pas. Je veux savoir ce qu'on veut de moi, et me retirer si ce qu'on me demande répugne à ma fierté. Je ne veux pas être sous la tutelle de mes inférieurs ; je ne veux pas voir mes provinces administrées par des hommes qui n'ont pas ma confiance ; je ne veux pas être un enfant couronné, parce que je n'ai pas besoin de couronne pour être homme, et que je me sens assez grand par moi-même pour ne pas vouloir monter sur des échasses[35]. »

Voilà le roi Joseph comme je l'aime ! Celui-là qui s'écriait récemment à la cour, devant quelques intimes, dont le comte de Mélito qui nous l'a rapporté :

« Mes premiers devoirs sont pour l'Espagne. J'aime la France comme ma famille, l'Espagne comme ma religion. Je suis attaché à l'une par les affections de mon cœur, et à l'autre par ma conscience[36]. »

Cette noble déclaration de principes le rend plus sympathique encore aux *afrancesados*, mais horrifie les Français inconditionnels de l'empereur, qui s'empressent d'informer leur maître des sentiments ambigus de son frère.

13

Arrive le général Merlin

Dans son propre palais, le roi Joseph doit, d'une part, se méfier des hauts fonctionnaires venus de France, aux ordres de l'ambassadeur, lui-même aux ordres de Napoléon, et, d'autre part, s'inquiéter de l'impatience de ses ministres espagnols, dont la vie est en péril, d'autant plus que l'empereur commence à essuyer des revers sur les champs de bataille d'Europe.

Joseph ne retrouve la paix de l'âme que dans notre beau jardin, à l'ombre de l'*arbol del amor*. En toute confiance, il confie à la comtesse ses problèmes de roi : elle y voit souvent plus clair que lui !

Les charmes bien connus de la superbe créole dans toute la splendeur de ses trente-quatre ans – peut-être trente-cinq ! – l'attachent chaque jour davantage... sans pour autant le rendre absolument fidèle, ce qui blesse la fière comtesse, peu habituée à partager ses conquêtes.

La magnifique marquise de Montehermoso, première victoire espagnole du roi Joseph, demeure dans le paysage ; sans parler des aventures passagères rendues si faciles à un roi entouré de courtisans... et de courtisanes !

Joseph s'efforce de convaincre la comtesse qu'elle reste la première dans son cœur, mais ce partage la préoccupe sans cesse. Jalouse? Peut-être. Possessive? Sûrement. Les proches de la comtesse se rendent bien compte que la sacrée marquise, elle aussi femme d'esprit et dans tout l'éclat de sa beauté, jette une ombre sur l'*arbol del amor*. La comtesse en est très affectée.

Et pourtant, le roi Joseph l'adore et il a beaucoup d'amitié pour l'oncle O'Farrill, il les considère comme de sa famille! Naturellement, l'avenir de Mercedes et de Pepita l'intéresse aussi et il ne cache pas à sa belle amie son désir de les marier avec des Français, façon de rapprocher les deux peuples... Cet homme aimable et bon ne doute de rien!

Un matin, la comtesse fait appeler Mercedes dans sa chambre et lui dit:

«Mercedes, le roi veut te marier...

– Me marier? Mais avec qui, maman? Quelques hommes me font la cour, mais je n'en vois aucun dont...

– Le général Merlin...

– Mais je ne connais pas cet homme! Je ne l'ai jamais vu...

– Tu le verras, et je ne promettrai rien sans ton assentiment.

– Mais... maman, je croyais que vous ne vouliez pas me marier à un Français...

– Non, mais ce général Merlin entre définitivement au service du roi Joseph, et restera en Espagne. Le roi l'attache particulièrement à sa personne, et le fait, en le mariant, capitaine général de sa garde. Le général Merlin est un militaire distingué et fort estimé. L'empereur vient d'écrire à son frère, en lui demandant d'urgence le général Merlin ou le général La Salle, pour commander une division de cavalerie près de lui, en Autriche ; mais, comme le roi Joseph connaît particulièrement le général Merlin, il le garde et envoie La Salle à l'empereur. Le roi tient beaucoup à ce mariage. Le général viendra ce soir chez mon oncle O'Farrill ; tu l'y verras, et nous en causerons[37]. »

Pauvre Mercedes ! Elle commence à se demander si elle n'aurait pas dû épouser le marquis de Cerrano, au moins aussi espagnol qu'elle et plus jeune que ce général qui a déjà survécu à plusieurs guerres. Elle envie sa sœur Pepita, depuis longtemps promise à Perico, ami d'enfance.

Ce soir, je ne me suis pas endormie avant le retour de Mercedes pour qu'elle me raconte ses premières impressions de ce Merlin tombé du ciel.

Au premier abord, le général lui paraît froid et sévère ; il lui semble plus homme du Nord que les autres Français, avec son teint très blanc et ses yeux bleus. Mais tout compte fait, elle le trouve beau, superbe même en grand uniforme de hussard. Très important !

Quant au général Merlin – c'est plus facile ! –, il tombe follement amoureux de cette belle et jeune créole qui parle français avec un accent délicieux. En réalité, il a eu le coup de foudre lors de cette rencontre fortuite dans les ruines du monastère chartreux de Burgos…

J'ai du mal à croire que ma petite Mercedes va sous peu se marier. Et avec un général ! Et Français, par-dessus le marché !

Autant j'avais discrètement lutté contre son projet de mariage avec ce minable et pédant petit marquis de Cerrano, autant je trouve sympathique le général Merlin… dont le métier est pourtant de tuer le pauvre monde : un jour des Italiens, un autre des Autrichiens, maintenant des Espagnols ! Si j'en crois les médailles accrochées à son superbe uniforme, j'imagine qu'il a beaucoup de talent !

Encore une chose m'étonne chez les hommes blancs : leur passion de la guerre, devenue une sorte de religion dont on parle respectueusement, avec ses saints : les « héroïques soldats » ; ses patriarches appelés maréchaux ou généraux, à la rigueur colonels ; ses lieux sacrés, pas nécessairement les mêmes pour tous les fidèles : Roncevaux, Wagram, Trafalgar, Eylau, plaines d'Abraham, Bailén, Waterloo…, c'est selon.

Enfin, bref, le général Merlin – Dieu lui pardonne tous les Espagnols qu'il a trucidés ! – me semble un honnête homme, d'une délicatesse exquise avec l'innocente et tendre Mercedes, attitude fort admirable chez un tueur professionnel !

Mercedes le trouve beau. Grand bien lui fasse ! Je ne suis pas d'accord, mais pour moi tous les hommes blancs sont laids, surtout s'ils essaient de s'embellir avec une grosse moustache de la bonne couleur… noire ! Bon. Disons que le général Merlin n'est pas absolument laid. Hélas ! Il est vieux : il frise la quarantaine ! Mais rudement costaud : ça compense !

Par égard pour Pepita, Mercedes réussit à convaincre la comtesse de permettre aux deux sœurs de se marier le même jour.

La veille du mariage, au moment exquis de l'essayage de la robe nuptiale, je me trouve par exception dans la chambre de la comtesse, qui veut vérifier les menus détails de cette robe digne d'une reine : soie blanche piquée de petites perles dessinant des arabesques, nuages d'organdi, de soie toujours, qui semblent flotter autour de cette admirable jeune femme, dont je suis devenue l'amie… sans cesser d'être l'esclave, selon toutes les lois du monde civilisé!

«Dieu, qu'elle est belle!» s'exclame la comtesse, ce que je pense aussi sans oser le dire.

Après l'essayage, Mercedes va se changer pour revenir aussitôt chez sa mère où, fait étonnant, je suis invitée à rester. La comtesse, toujours disposée à rire, à s'amuser, prend tout à coup un air compassé et nous dit:

«Mercedes, Cangis, assoyez-vous! J'ai à vous parler.»

Jamais, jusqu'à ce jour, n'avait-elle pris la peine de dire: «J'ai à vous parler.» L'affaire est donc grave.

«Voilà. D'abord, ma chère Mercedes, je me réjouis d'apprendre que notre bon roi Joseph, en plus de toutes ses gracieusetés, a eu la bienveillante idée de te faire comtesse en donnant à ton futur mari le titre de comte de Merlin.

— Oh! ma mère, si vous saviez comme cela m'importe peu!

— Tu le dis aujourd'hui… Mais, crois mon expérience, le titre de comtesse te rendra service dans la vie. Jusqu'à présent, je n'ai rien, ou presque rien à te reprocher: tu es une fille fort aimable et, pendant ton mariage, je pleurerai de vraies larmes sur la perte d'une adorable enfant. Par contre, je me ferai une nouvelle amie, la jeune comtesse de Merlin…»

Pas besoin de dire que Mercedes est en larmes, pour une fois larmes de joie: jamais elle n'a espéré entendre d'aussi tendres propos de sa mère, dont elle croit toujours qu'elle lui préfère Pepita…

Se tournant vers moi, la comtesse me parle comme jamais elle ne l'a fait jusqu'à ce jour :

« Cangis, ma fille, tu es une bonne esclave. Tu as beaucoup aidé Mercedes dans son éducation, fort négligée à Cuba par sa Mamita trop tendre ! Si Mercedes parle et écrit fort correctement l'espagnol, et, ma foi, assez bien le français, c'est grâce à toi, Cangis, bien davantage qu'à tous ces ruineux et stupides précepteurs… Je t'en sais gré. J'imagine que Mercedes te gardera à ses côtés dans sa nouvelle vie. Elle a raison car vous avez des relations chaleureuses qui peuvent étonner certaines personnes, mais qui me touchent. Toutefois, ma chère Cangis (*jamais elle ne m'avait encore appelée ainsi !*), il te faut reconnaître une chose : la petite Mercedes, si simple et si affectueuse, jamais ne t'a traitée en esclave. En amie, plutôt, je dirais… Bon. Je veux bien. Mais à partir d'aujourd'hui… Au fait, Cangis, quel âge avait Mercedes quand tu l'as rencontrée la première fois ?

– Huit ans. Heu… peut-être dix…

– Maintenant, elle a plus de vingt ans ! Très naïve encore, elle n'est plus l'enfant que tu as connue. À partir d'aujourd'hui, je te demande donc de cesser de la tutoyer, ce qui est d'ailleurs inadmissible de la part d'une esclave. Et enfin, tu devras l'appeler Madame la comtesse !

– Quoi ? s'écrie Mercedes, outrée. Jamais je n'accepterai que ma petite reine Cangis me vouvoie et, pire encore, m'appelle comtesse !

– Et pourtant, il faut ! J'ai dit. »

Il est rare, très rare, que la comtesse – la vieille comtesse! – termine une phrase par «J'ai dit». C'est sérieux. Après un moment de silence embarrassé, Mercedes et moi filons en direction de la bibliothèque, lieu de rencontre privilégié dans les situations historiques.

«Cangis, j'ai la plus merveilleuse des mères, mais tu sais qu'elle a, disons, quelques petites manies. Je ne lui en veux pas… mais je t'interdis de me dire vous! Après toutes ces années, c'est totalement ridicule.

– Comme tu voudras, Madame la comtesse!»

Mercedes éclate de rire, me prend dans ses bras et me serre très fort.

«J'ai une idée, dit-elle. Devant ma mère, que j'aime tant et à qui je ne veux pas déplaire, tu me dis vous et tu m'appelles comtesse. Peut-être aussi devant ses amis, et les domestiques…

– Enfin, devant tout le monde! m'écrié-je en riant.

– Mais au moins, jure-moi que tu ne me vouvoieras pas quand nous serons seules, toutes les deux, c'est-à-dire quand nous serons réellement nous-mêmes. Tu le jures?

– Je le jure!»

14

Une Teresa meurt, l'autre naît

La veille du double mariage, fixé au 14 octobre 1810, je reviens de l'église San-Ginès en compagnie de Mercedes quand un crieur public attire notre attention : d'un ton neutre, il annonce l'exécution, demain, de deux jeunes soldats espagnols accusés d'avoir déserté l'armée de Joseph… pour aller rejoindre une armée au service de la véritable Espagne ! Mercedes, dont l'extrême sensibilité la porte à voir partout de bons ou de mauvais présages, s'émeut à l'idée que deux compatriotes de son âge vont être fusillés au moment même où elle unira sa destinée à celle d'un général français.

Soudain, une immense tristesse l'envahit, comme il lui arrive trop souvent, son beau visage s'assombrit, elle ne parle plus, comme si elle se retirait de sa vie. Rien ne peut l'empêcher de penser aux deux jeunes Espagnols, jugés comme traîtres par les *afrancesados* mais héros pour la majorité des Espagnols.

Bouleversée de voir Mercedes dans un pareil état la veille de son mariage, je me permets d'envoyer un mot au général Merlin pour l'informer de la situation.

Le lendemain, la comtesse et moi consacrons plusieurs heures à préparer Mercedes pour la cérémonie prévue à trois heures de l'après-midi : on la coiffe, on lui fait les ongles, on la parfume, mais en vain tentons-nous de lui redonner sa bonne humeur. D'un moment à l'autre, songe-t-elle, les deux soldats tomberont sous les balles d'un peloton de soldats français ; on remettra les cadavres aux parents, déjà épuisés par les cris et les larmes, et la vie continuera à Madrid.

Soudainement, une sorte de murmure s'élève du côté de la rue del Clavel, un groupe bruyant mais joyeux s'arrête devant notre porte et demande à entrer.

« Ces gens vous réclament, dis-je à une Mercedes toujours bouleversée ; ils veulent vous dire que Dieu bénira votre mariage parce que votre futur mari a entendu leurs prières ! Il s'est rendu en hâte chez le roi et a obtenu la grâce des deux condamnés. Fous de joie, les parents ne savaient comment exprimer leur reconnaissance au général Merlin, qui leur a dit : "Allez plutôt embrasser ma chère Mercedes !" »

Elle ne sut jamais comment le général apprit l'immense chagrin de sa fiancée ; son geste est certes le plus beau cadeau de noces qu'il pouvait offrir à Mercedes...

Le mien sera modeste. Une esclave, surtout si elle vit au milieu de personnes généreuses, à l'occasion reçoit quelques pièces de monnaie. Depuis mon arrivée à Madrid, j'ai accumulé un petit magot et j'ai donc pu acheter un présent pour ma très chère Mercedes.

Après de minutieuses recherches dans les librairies de la ville, j'ai enfin mis la main sur un exemplaire de l'édition originale de *Julie ou la Nouvelle Héloïse* de Jean-Jacques Rousseau, parue à Paris en 1761.

« C'est pour toi ? m'a demandé le commis, peu convaincu qu'une jeune Négresse puisse s'intéresser à la littérature française, en édition rare.

– Absolument ! Et mettez-moi de côté *Les Confessions*… Je passerai les prendre d'ici une semaine ! »

J'ai dit cela pour m'amuser, car j'ai depuis longtemps dévoré ces deux livres dans la bibliothèque de la comtesse, à l'insu de Mercedes qui a promis à sa mère de ne point les lire avant son mariage !

Il m'a resté tout juste assez d'argent pour faire relier *La Nouvelle Héloïse* dans le plus beau cuir du Maroc, couleur d'aubergine. En lettres d'or, j'ai fait graver au dos de la couverture : « *A mi querida Mercedes de su reina Cangis. Madrid, 10 de octubre 1810**. » J'imagine son éclat de rire quand elle verra le titre !

Elle a reçu des cadeaux plus considérables… dont une dot d'un million de réaux du roi Joseph qui, par surcroît, vient de rétablir la fortune de la comtesse et de l'oncle O'Farrill, grâce à une intervention directe auprès de son frère l'empereur. Un décret impérial permet la confiscation des cargaisons de sucre ou de café en provenance de Cuba, pays ennemi de Napoléon. En conséquence, la comtesse et son oncle perdaient les revenus de leurs plantations cubaines.

La lettre du roi Joseph à l'empereur est datée du 21 janvier 1810 et, pour une fois, je n'aurai pas à la lire de façon clandestine puisque la comtesse l'a fait encadrer ! Quiconque entre dans sa chambre peut prendre connaissance de cette page manuscrite, recopiée par

---

* « À ma chère Mercedes de sa reine Cangis. Madrid, le 10 octobre 1810. »

Joseph pour l'offrir à sa belle amie, un soir sous l'arbre de l'amour :

« Mon cher frère,

« Le décret qui confisque les marchandises et denrées coloniales aura des effets bien injustes ici puisque ces denrées appartiennent aux propriétaires du sol espagnol ; ils ne peuvent pas être assimilés aux marchands ou aux commissaires de Hambourg, qui travaillaient pour le compte du commerce anglais. Si cette loi est exécutée ici, mon ministre de la guerre (le général O'Farrill) perd trois ans de ses revenus de La Havane, arrivés en sucre dans les ports de la Galice ; deux de ses nièces qui l'avaient suivi à Vitoria, et dont l'une (Mercedes) allait épouser un officier général français (Merlin), perdent leur dot, qui était très considérable.

« Joseph »

Pour une fois, Napoléon s'est rendu à une requête de son frère, qui le remercie avec chaleur. Joseph est ravi de la joie de la comtesse, une femme qu'il aime vraiment en dépit de ses innombrables infidélités. Elle continue d'exercer sur lui une influence bénéfique grâce à sa connaissance du monde, à son sens politique aigu, à sa conviction que l'avenir de son pays passe par le roi Joseph, seul capable, selon elle, de le protéger contre les appétits de Napoléon. La comtesse l'encourage dans ses mouvements de bienveillance à l'égard de l'Espagne, elle le console de toutes les contrariétés qui, chaque jour, marquent son règne.

L'attachement du roi à sa principale rivale, la marquise de Montehermoso, continue de faire souffrir la comtesse, au point où elle tombe sérieusement malade. Selon moi, c'est l'explication de son « mal-être », comme dit platement le médecin français, sans trouver de remèdes autres que ces abominables saignées.

Pendant la maladie de la comtesse, Mercedes, Pepita et moi passons la journée, souvent une partie de la nuit, à son chevet, prévenant ses moindres désirs. Elle en a de moins en moins, elle languit, s'étiole, dépérit à vue d'œil. L'annonce de la grossesse de Mercedes réussit à peine à lui arracher un demi-sourire. Elle a abandonné la rue del Clavel pour habiter le rez-de-chaussée de la maison de l'oncle O'Farrill, rue San Lorenzo, logement humide et sombre, sûrement préjudiciable à sa santé ébranlée.

Mercedes veut l'en sortir et finit par la convaincre de déménager chez elle où elle fait décorer un bel appartement indépendant du reste de la maison : il donne sur un jardin enchanté par les premières fleurs du printemps. En hâte, elle fait peindre sur un des murs du salon par un artiste cubain une fresque qui rappelle le pays natal de la comtesse avec ses palmiers royaux, ses papayers lourds de fruits jaunes et ses colibris nerveux zigzaguant dans le bleu du ciel.

Tous nos soins ne réussissent pas à sauver la comtesse : pour des raisons connues d'elle seule, elle a perdu toute envie de vivre. Mais, disons-le, Teresa de Montalvo, comtesse de Jaruco et de Mopox, a déjà beaucoup vécu…

Fidèle à elle-même, Mercedes n'accepte pas la mort de cette mère adorée : elle s'écroule, s'évanouit et, pendant cinq jours, les médecins la croient en péril, elle et son enfant. Mais, de nouveau, la vie triomphe de toutes leurs sales potions !

À peine rétablie, Mercedes subit les premières douleurs de l'enfantement. Et une fois de plus, la vie triomphe avec l'arrivée de la petite Teresa, dont la comtesse avait accepté d'être la marraine. Le parrain, Joseph Iᵉʳ, est frappé en plein cœur par la mort trop brusque de cette femme exceptionnelle, dans toute la splendeur de ses trente-cinq ans. Anéanti, il annule les fêtes de la cour, les dîners, les audiences, les revues de la garde, absolument tout sauf le conseil des ministres.

J'accompagne la famille aux funérailles et jusqu'au cimetière du Nord. Là, j'entends une duchesse chuchoter à une autre duchesse : « Touchant, tout de même ! Vous voyez cette esclave, ramenée jadis de Cuba par la comtesse ? Elle vient pleurer sur la tombe de sa maîtresse… »

Mais je ne pleure pas du tout ! Je suis émue, oui, de voir pleurer ma pauvre, pauvre Mercedes : elle n'en finit plus d'aimer cette mère qui l'a abandonnée au berceau et qui, en vingt ans, lui a consacré moins de temps qu'à son chat !

Étonnant le nombre de Madrilènes qui osent se montrer aux funérailles de cette comtesse dépravée – n'ayons pas peur des mots ! –, par surcroît une *afrancesada* sans remords. Je commence à aimer les Espagnols : ils n'hésitent pas à oublier les frasques de cette trop belle femme pour se rappeler son influence bienfaisante sur le vieux Charles IV, la pénible reine Marie-Louise, l'affreux pourri premier ministre Manuel Godoy, le minable petit roi Ferdinand VII et, pour finir, Joseph, le roi intrus.

À sa manière, doit-on se dire, d'une alcôve à l'autre, la comtesse de Jaruco a bien servi l'Espagne !

15

Bientôt, les Anglais et Lord Wellington!

Ici, commence une légende à laquelle j'ai bien envie de prêter foi, les légendes étant souvent plus vraies que la vie, plus sympathiques en tout cas.

La nuit même des funérailles, des témoins ont vu arriver au cimetière du Nord un groupe d'hommes de confiance du roi, vêtus de capes couleur de brume. À la faveur de l'obscurité, ils ont exhumé le cadavre de la belle comtesse pour le transporter discrètement jusqu'au jardin de la rue del Clavel où, selon les vœux du roi, d'autres hommes avaient creusé une fosse sous *el arbol del amor*!

Jusqu'à sa fuite précipitée de Madrid le 12 août 1813, on verra souvent le roi Joseph, au clair de lune, venir s'asseoir sous l'arbre de l'amour. Démarches insolites rendues faciles depuis la mort de la comtesse, la maison de la rue del Clavel demeurant inhabitée.

Le général Merlin souvent appelé dans une province ou l'autre de cette Espagne devenue immense champ de bataille, Mercedes a besoin de moi, seul lien affectif qui la rattache à son enfance havanaise. À ses rares visiteurs, elle me présente gentiment comme sa «dame de compagnie», ce qui ne trompe personne à Madrid où mon statut d'esclave est bien connu. À ce titre de fantaisie, vient s'en ajouter un autre, bien réel celui-là : Mercedes me nomme sa secrétaire ! À la vérité, je connais la grammaire espagnole et la grammaire française beaucoup mieux qu'elle et je puis me vanter d'écrire sans fautes ces deux langues. Disons presque sans fautes…

Mercedes est encore en pleine lune de miel quand le roi appelle son général préféré en Andalousie ; elle s'ennuie atrocement et lui écrit presque tous les jours, en français. De son écriture assez vilaine, elle rédige un brouillon qu'elle me remet en toute confiance : il y a longtemps que nous n'avons plus rien à nous cacher ! Après avoir fait quelques corrections, parfois même réécrit une phrase incompréhensible, je lui remets le brouillon qu'elle recopie avec soin.

Je garde les premiers jets de ces lettres débordantes de passion, d'une naïveté admirable mais aussi, parfois, d'un érotisme qui étonne chez une toute jeune femme sans expérience de l'amour. En voici une, choisie au hasard : elle ressemble à toutes les autres, les amoureux ayant une nette tendance à se répéter… depuis que le monde est monde !

« Madrid, le 27 octobre 1810.

« Bon jour ; cher amour ; j'ai rêvé toute la nuit, que j'étais dans tes bras, je sentais une noitation si vive et si délicieuse, que mon réveil n'a pu détruire les effets de ces charmantes illusions… Je n'ai pas eu de chagrin en voyant que c'était un séduisant mensonge, car je crois être près de la réalité !…

« Adieu, aime moi toujours, mais avec la plus vive tendresse, car c'est l'unique moyen de faire le bonheur de ta Mercedes[38]. »

Ses autres lettres : des variantes de celle-ci avec de plus en plus de « Viens ! », « Reviens ! », « Je ne puis vivre sans toi ! ».

Quand le général Merlin est à Madrid, Mercedes joue avec grâce son rôle d'épouse et de maîtresse de maison : elle est alors parfaitement heureuse. Combien de fois ne s'est-elle pas écriée, avec l'allégresse d'une enfant : « Cangis, je vis les plus beaux jours de ma vie ! »

Et pourtant, elle n'a guère de distractions, sauf une occasionnelle visite à la cour du roi, où le général Merlin se montre facilement jaloux des galanteries des hommes. Comment peuvent-ils faire autrement devant une aussi resplendissante jeune femme ? Même le roi Joseph n'est pas insensible à ses charmes, ce qui donne lieu à une répartie célèbre du général Merlin.

Un jour, il se trouve auprès du roi avec quelques personnes quand la conversation tombe sur les femmes.

« Général Merlin, demande soudain Joseph, si un roi faisait la cour à votre femme, que feriez-vous ? »

D'un ton calme, Merlin répond :

« Je le tuerais, sire. »

Joseph essaye de tourner la chose à la blague, mais il a perdu la face devant les quelques témoins qui s'empressent de raconter l'anecdote à la ville entière.

Le roi Joseph aime le côté gracieux de la vie de la cour, non seulement en raison de la présence des plus belles femmes de Madrid, mais aussi pour y discuter littératures française, italienne et, de plus en plus, espagnole avec les personnes de grande culture dont il sait s'entourer.

Étrangement, cet homme sans prétention, plutôt simple, se complaît dans les fastes d'une cour royale. L'Escurial, somptueux palais des rois d'Espagne, devient le lieu de rencontre des beaux esprits, des amateurs de théâtre, de musique et de bal. Les plus intimes partagent avec le roi des dîners fins, arrosés des meilleurs vins de France.

Un incident désagréable lui fait une réputation qu'il ne mérite pas. Au cours d'une campagne militaire, on réquisitionne pour lui et son état-major la vaste maison d'un marquis de province. Son erreur : avoir permis à ses officiers de vider ou presque la cave renommée de leur hôte malgré lui ! Joseph lui-même n'a sûrement pas abusé de vin : d'ailleurs, il n'en boit jamais sans le couper avec de l'eau… même le champagne, ô sacrilège ! Peu importe ! L'incident fait le tour de l'Espagne et, depuis lors, les comédies et les caricatures le montrent toujours avec une bouteille dans chaque main, le nez rouge et l'œil hagard. Ceux qui ne l'aiment pas, c'est-à-dire presque tous les Espagnols, l'appellent désormais *Pepe la botella*, Pepe étant le surnom familier de José, prénom espagnol du roi.

Avec plus d'à-propos mais non sans ironie, on appelle aussi Joseph « *el rey de las plazuelas** » en raison des nombreux jardins, fontaines, avenues et places dont il a embelli Madrid, tout comme Naples d'ailleurs.

Rien, absolument rien ne peut empêcher la sourde haine de tout un peuple contre l'envahisseur et, par conséquent, contre les *afrancesados* et contre Joseph, le roi intrus, dont l'autorité ne dépasse guère les limites de Madrid. Et encore, même dans les rues de la ville, tout Français risque sa peau. Il se passe rarement un jour sans que, sur une place publique, peut-être récemment inau-

* « Le roi des placettes. »

gurée par le roi, on enlève un soldat français… retrouvé le lendemain dans un caniveau, la gorge tranchée.

Stimulés par leurs moines, les Espagnols ont déclaré une guerre sans merci aux Français, ils rejoignent les restes de l'armée régulière dispersés à travers le pays ou, à tout le moins, appuient généreusement les guérilleros, quand ils ne le deviennent pas eux-mêmes !

Sous prétexte que ces partisans sont des rebelles et des anarchistes, les officiers français se croient exemptés des lois de la guerre. Pris les armes à la main, les patriotes sont aussitôt fusillés sans autre forme de procès, leur maison saccagée, brûlée.

Cette méthode plaît à Napoléon, qui la recommande fortement à son frère Joseph. De toute manière, les généraux ne se soucient guère des ordres du roi, préférant suivre ceux de l'empereur, comme lui convaincus que la terreur viendra à bout du courage des Espagnols.

« C'est bien mal nous connaître ! » s'exclame le général O'Farrill au dîner, alors qu'il commente les derniers crimes commis au nom de son roi.

« Aussitôt qu'ils font mettre à mort des Espagnols, des Français en pareil nombre sont, peu de jours après, pendus aux arbres[39]… »

En écoutant ces propos, Mercedes frémit de dégoût, mais son cœur ne se résigne pas à condamner les *siens*, c'est-à-dire les Espagnols.

L'autre soir, je me rends à la cuisine y chercher du café pour des visiteurs. À ma grande surprise, le cuisinier fait réciter le catéchisme aux domestiques rassemblés ! Les Espagnols sont très croyants, très pratiquants, mais jamais encore je n'ai entendu des adultes répondre en chœur aux questions d'un catéchisme… un peu particulier, il faut le dire, dont l'auteur anonyme serait un moine de l'ordre du doux saint François. En voici quelques bribes :

« *Question* : Dis-moi, mon enfant, qui es-tu ?

Réponse : Espagnol, par la grâce de Dieu.

Question : Que veut dire Espagnol ?

Réponse : Homme de bien.

Question : Quel est notre roi ?

Réponse : Ferdinand VII.

Question : Avec quelle ardeur doit-il être aimé ?

Réponse : Avec la plus vive, et comme le méritent ses vertus et ses malheurs.

Question : Quel est l'ennemi de notre félicité ?

Réponse : L'empereur des Français.

Question : Quel est cet homme-là ?

Réponse : C'est un méchant, un ambitieux, principe de tous les maux, fin de tous les biens, le composé et le dépôt de tous les vices.

Question : Qui sont les Français ?

Réponse : D'anciens chrétiens, et des hérétiques modernes.

Question : Est-ce un péché d'assassiner un Français ?

Réponse : Non, mon père, on fait une œuvre méritoire en délivrant la patrie de ces insolents oppresseurs[40]. »

Sinon pour conquérir les cœurs, du moins pour maintenir une paix fragile sous une dictature militaire, il aurait fallu plusieurs autres armées françaises. Au contraire, Napoléon en retire d'Espagne pour les envoyer au massacre du côté de la Russie.

Alliés des Espagnols, les Anglais s'enhardissent et l'oncle O'Farrill nous apprend ce soir ce que tout le monde sait depuis hier : «Lord Wellington est à deux jours de marche de Madrid !»

16

Le dernier exode

Une fois de plus, l'heure est grave : nous nous regroupons donc aux pieds du vieux général pour entendre ses avis, ou devrions-nous dire ses ordres :

« En accord avec le roi, le Conseil des ministres vient de décider l'évacuation immédiate de Madrid. Nous quittons la ville cette nuit même en direction de Valence…

– Sans doute pour ne jamais revenir !» soupire Mercedes.

Venu se joindre à la famille réunie chez l'oncle O'Farrill, le général Merlin nous ramène à sa jolie maison, fraîchement louée, où Mercedes connaît ses premières joies de femme. Ce brusque départ de Madrid l'inquiète vivement, car elle ne peut nourrir son enfant et doit compter sur la nourrice Ama Pepa. Les autres domestiques refusent de suivre une maîtresse désignée comme *afrancesada*, c'est-à-dire « traître à la patrie ». Par bonheur, Mercedes finit par convaincre Ama Pepa, déjà attachée à la petite Teresa.

Sans doute suis-je la seule de la maison à quitter ce malheureux pays sans le moindre regret. Comment lui pardonner d'avoir béni la traite des esclaves, qui a arraché à l'Afrique des centaines de milliers, des millions peut-être d'êtres humains ?

On ne s'habitue pas à l'exil, et jamais je n'oublierai mon beau Congo, mais pour l'instant ma patrie s'appelle Mercedes. Et la tendre amitié de cette femme exceptionnelle me comble ; j'en oublie les inconvénients de mon statut d'esclave !

Aux petites heures du matin, le lourd et lent convoi de plus de trois cents voitures se met en marche : des ministres, des conseillers d'État, des ambassadeurs et une multitude de fonctionnaires français, petits et gros, prétentieux parasites envoyés en Espagne comme on les aurait envoyés aux colonies, avec la différence que les indigènes de par ici ne se laissent pas faire !

Mercedes, son enfant dans les bras, la nourrice Ama Pepa et moi prenons place dans le carrosse qui nous est désigné. Le général Merlin, dont le devoir est auprès du roi, part avec un autre convoi qui suivra une route parallèle, à travers champs, à deux ou trois lieues. Il nous tient à l'œil et, toutes les nuits, quitte le convoi royal et galope jusqu'au nôtre, chaque fois risquant sa vie pour la joie d'embrasser sa femme et son enfant et nous apporter quelques victuailles, le cadeau suprême étant une cruche d'eau potable.

Tout nous rappelle les horreurs de la retraite vers Vitoria, il y a à peine cinq ans.

« Cette fois, écrit Mercedes dans son journal, le convoi s'étend de toute part, comme un fleuve qui déborde. Ce n'est pas une caravane, comme la dernière fois, mais une ville entière, des familles complètes, composées de toute une génération ; des destinées remplies ; des têtes marquées d'anathème, poussées sans pitié par la fatalité sur la terre étrangère, pour y mourir dans la misère et dans l'exil… On y voyait des femmes près d'accoucher, des enfants, des vieillards, traînés sur des tartanes, espèce de chariots du pays, ou des *calesines*, petites calèches fort légères, si délabrées, que c'était miracle qu'elles fussent arrivées jusque-là… et elles devaient encore faire soixante-dix lieues dans les déserts de la Manche! On voyait les malades affaiblis par la souffrance, déposés sur de mauvais matelas, dans des fourgons ou dans des chariots; on les voyait frémir de douleur à chaque secousse!… Et les malheureux devaient endurer un tel supplice, encore bien des heures! et bien des jours[41]!»

La multitude des moins bien nantis suit à cheval, à dos d'âne ou de mulet. Tout ratatinés sous le soleil implacable, les vrais pauvres et les malchanceux vont à pied, d'abord croulant sous les bagages, avant de s'en délester le long de la route, conservant au fond de la poche le dernier bijou, la dernière pièce d'or qu'on finira par sacrifier joyeusement contre un gobelet d'eau fraîche.

Les plus faibles profitent de la distraction des cochers pour de la main saisir une corde, un bout de planche, une patte de table qui dépasse d'un fourgon, comme les naufragés s'accrochent au moindre objet qui flotte encore.

Témoin oculaire, un ami de l'oncle O'Farrill, le général Hugo*, raconte ce petit fait extraordinaire:

«Comme il fallait s'y attendre, plusieurs femmes enceintes accouchent en cours de route, parfois sans

---

* Joseph Léopold Sigisbert Hugo, père de Victor, général français attaché au roi Joseph Ier.

arrêter la voiture. Ainsi, Madame la duchesse de Cotadilla, épouse du capitaine général de la garde du roi Joseph, met au monde un enfant qui naît pendant que, réfugiée dans sa voiture, la jeune mère entend tranquillement les balles siffler autour d'elle[42]. »

Un vent chaud et lourd, comme expulsé d'une fournaise, nous prend à la gorge, de même que l'épaisse poussière soulevée par nos bêtes haletantes, parfois enfoncées dans le sable jusqu'aux jarrets.

Commencée vers quatre heures du matin, notre dure et longue marche s'arrête à la nuit, vers sept heures. Au bout de trois de ces journées infernales, nous arrivons à Villatorcas, où nous attend une bien effrayante nouvelle : un grand nombre de guérilleros nous précèdent en comblant de pierres les puits et les citernes d'eau douce !

Nos seules joies : les visites du général Merlin, toujours de nuit car il doit quitter le camp du roi quand tout le monde dort et, en compagnie de deux ordonnances, traverser des champs immenses parsemés de francs-tireurs. Aux petites heures du matin, le général va rejoindre le roi Joseph avant le départ du convoi royal. Une force de la nature : jamais je ne l'ai entendu se plaindre de la fatigue ! Sans ses visites quotidiennes, sans les vivres et l'eau qu'il parvient à nous apporter, surtout sans ses paroles de réconfort et ses marques d'amour, ma fragile Mercedes, j'en ai peur, s'écroulerait dans un désespoir peut-être fatal.

Une rumeur fulgurante traverse la morne caravane de bout en bout : nous sommes à quelques heures de la redoutable forteresse de Chinchilla de Monte Aragón, occupée par les Espagnols, « les miens », aurait dit Mercedes il y a peu de temps encore. Le convoi demeure sans défense contre un tir direct venu de ce fort accroché à la falaise, comme suspendu au-dessus de nos têtes.

Journée de repos à Albacete. Peu après minuit, on se remet en marche, comptant sur l'obscurité pour nous rendre moins visibles quand nous passons sous la forteresse. Chacun se protège comme il peut, enfoui sous les bagages, la tête recouverte d'un seau, d'une barrique, pendant que sifflent les balles dans la nuit.

À bout de forces, Ama Pepa donne quand même le sein à la petite Teresa toujours assoiffée, pendant que Mercedes et moi les couvrons de nos corps. Une pluie de balles traverse notre carrosse et manque nous atteindre. Pour la première fois, une Mercedes indignée ne peut s'empêcher de maudire les *siens*:

«Lâches! Tirer sur des femmes et des enfants! Ah! si j'avais des armes! J'aurais plus de cœur que vous!… Pardon, ma patrie!… c'est à des Espagnols, il est vrai, que je m'adresse; mais je suis mère, sans défense, et ils tirent sur moi!… sur mon enfant[43]!»

Valence! Valence! Le paradis! Nous sommes encore loin de la frontière de la France, au-delà de laquelle il n'y aura ni soldats espagnols ni guérilleros. Mais dans le royaume de Valence, on ne se sent plus traqués, enfin des enfants nous envoient la main, des jeunes filles nous offrent des fruits et de l'eau. Ces joies simples nous inondent d'un tel bonheur que nous avons envie d'embrasser tout le monde!

Le 26 mars 1813, à l'entrée de la petite ville de Mogente, une ordonnance du général Merlin nous attend pour nous conduire à une jolie maison toute neuve, retenue pour nous. Au milieu du patio, un bassin en marbre muni d'un jet d'eau qui, en retombant, rafraîchit des pastèques et des melons, merveilles que nous n'avions pas vues depuis Madrid. Nous les contemplons à loisir tandis que nous embaume le parfum des jasmins et des roses. Ah! comme nous sommes loin, déjà, de l'enfer du plateau de la Manche! Mais, sans lui, nous n'aurions pas vécu cet instant d'intense bonheur en forme de melon!

Le général Merlin arrive enfin et nous entraîne vers une autre surprise: une table dressée, garnie de fleurs fraîches, d'une corbeille débordant des plus beaux fruits du monde et, luxe ultime, de l'eau à la glace. Ce général a sans doute ses défauts, le plus grave à mes yeux étant son horrible métier, mais un homme de cet âge capable de préparer une aussi délicate surprise à sa femme mérite d'être aimé.

Il avait aussi une mauvaise surprise. Il la dévoile avec tous les ménagements possibles, mais elle frappe Mercedes en plein cœur: dans un sursaut de courage et de témérité, le roi Joseph décide brusquement de quitter Valence à la tête d'une armée pour aller reprendre Madrid et se battre contre les Anglais! Il a donc besoin du général Merlin qui se résigne à laisser Mercedes poursuivre le voyage sans lui. Elle veut rebrousser chemin et suivre son mari dans cette folle aventure qui ne résistera pas à la nouvelle des défaites de Napoléon dans les neiges de Russie. À peine arrivé à Madrid, le roi malheureux devra fuir sa capitale pour la troisième et dernière fois.

Mercedes n'a pas le choix, elle doit gagner la France au plus vite. Contrairement à la comtesse mère, elle n'a joué aucun rôle politique mais elle est tout de même une *afrancesada*, petite-nièce du général O'Farrill, ministre de la Guerre, déjà jugé par toutes les juntes d'Espagne, dégradé, ses biens confisqués, condamné à mort, et voué à l'exil. Et pour comble, elle a épousé un général français, ami de Joseph et tenu en très haute estime par Napoléon lui-même…

Compromise jusqu'à l'os, Mercedes ne peut plus regarder que devant, vers les montagnes et la France.

17

Pendant un mois, la vie de soldat !

Mercedes, la nourrice, l'enfant et moi nous retrouvons dans notre carrosse parmi une infinité d'autres, mais il y a maintenant une hiérarchie fort ridicule dans les circonstances : les carrosses des duchesses doivent avoir la préséance sur ceux des marquises, tandis que ceux des comtesses… et patati, patata !

Sans le vouloir, Mercedes suscite bien des jalousies chez tout ce beau monde : le général Merlin nous met sous la protection spéciale de vingt-cinq hommes de la garde royale, commandés par le capitaine Dupuis. Leur mission sacrée : nous conduire en France saines et sauves. La veille du départ, ils en ont fait le serment à Merlin.

Nous avançons avec peine, comme une lourde cohorte de tortues, attendant ici qu'on change la roue d'un carrosse, là qu'on trouve un cheval pour remplacer celui qui vient de crever sous les harnais.

Soudain, la joie immense de voyager au bord de la mer qui réveille tant de souvenirs. Presque oubliés le bruit des vagues, l'odeur des algues, le cri strident des mouettes, depuis notre arrivée à Cadix, il y a dix ans déjà. Pour nous rappeler à qui appartient cette mer, des navires anglais croisent au large et s'amusent à tirer quelques coups de canon : personne n'est touché, mais la peur nous terrorise.

Journée à Teruel. Les éclaireurs qui précèdent le convoi viennent nous avertir de la présence de nombreux guérilleros dans les montagnes. Nous avançons au milieu d'une nuit d'encre, attendant le pire, la fin peut-être de nos souffrances et de nos peurs.

Affamées, crottées, épuisées, humiliées jusqu'au tréfonds de l'âme, nous entrons dans la fière ville de Saragosse, où Mercedes est saisie d'un puissant accès de fièvre. Mais il ne peut être question de laisser le convoi repartir sans nous, ce que le capitaine Dupuis n'aurait certes pu tolérer.

Pour traverser les Pyrénées par des sentiers étroits, il faut bien entendu abandonner voitures et carrosses, voyager à dos de mules pendant trois ou quatre jours. Pas le meilleur remède contre la fièvre ! En arrivant à Jaco, Mercedes trouve un lit où elle frissonne, tremble ou s'abandonne à la stupeur qui repose de la souffrance. Je crois qu'elle a perdu le contrôle d'elle-même et, sur un ton quasi hystérique, elle me demande d'aller lui chercher le capitaine Dupuis en toute hâte. Elle lui tient ce langage :

« Capitaine, je suis fort souffrante et hors d'état de faire le voyage jusqu'en France sur une mule. Si vous ne me trouvez pas un autre moyen de voyage, je reste ici…

– Mais, Madame, quel autre moyen peut-on trouver dans cet endroit, où il n'y a que des misérables baraques ?… D'ailleurs, aucune voiture ne pourrait passer dans les montagnes… les mules seules…

– Capitaine, je reste…

– Rester ici! Mais, Madame, y pensez-vous? Les guérilleros nous suivent de près… ils arriveront demain soir au plus tard…

– C'est bien, ils me trouveront ici…

– Mais ils vous maltraiteront…

– Non, j'en suis sûre, car je leur parlerai en espagnol, et ils entendront raison…

– Mais, Madame, ils vous tueront…

– Et quand cela serait, il faut finir un jour…

– Mon Dieu! mon Dieu!… et le général!… et ma responsabilité[44]!… »

Le capitaine s'enfuit, persuadé que Mercedes a perdu la raison, ce que je viens près de croire moi aussi. Elle semble oublier que cet homme a fait le serment au général Merlin de la conduire en France saine et sauve. Et sa vie n'est pas seule en cause puisque son enfant périrait sans doute aussi. Et je ne parle même pas de la nourrice et de moi, à qui elle pense encore moins qu'à sa fille. Moment de folie provoqué par une fièvre intense, voilà la seule explication.

Deux heures plus tard, revient un capitaine Dupuis triomphant:

«J'ai trouvé! J'ai trouvé!

– Mais quoi? Quoi?

– Une superbe chaise à porteurs toute prête à vous accueillir avec votre enfant. On l'avait fabriquée pour transporter la maréchale Suchet par-dessus les Pyrénées[45]. »

Le lendemain, déjà moins fiévreuse, Mercedes s'installe fort confortablement avec Teresa dans la chaise portée par douze hommes souvent relayés. Montées sur nos mules, Ama Pepa et moi suivons la chaise qui se balance avec hardiesse le long des sentiers accrochés à flanc de montagne. Mercedes regrette déjà son caprice en entendant souffler les porteurs vite exténués. Ils peuvent facilement glisser dans un précipice et disparaître, comme cela vient d'arriver à trois de nos mules chargées de bagages : attachées l'une à l'autre, la première glisse et entraîne le reste.

Tout à coup, le convoi s'immobilise sans que nous en sachions la cause… aussitôt révélée par les clameurs de joie qui éclatent au début de la colonne et la traverse en pétillant comme une mèche allumée : on vient d'atteindre la borne qui sépare l'Espagne de la France ! Tout le monde s'arrête un moment, les Français pour hurler leur joie en apercevant les premiers paysages de leur pays ; les Espagnols, le cœur serré, pour jeter un dernier regard sur cette Espagne aimée avec passion, que sans doute ils ne reverront jamais. Cette pensée déchire Mercedes et l'empêche de remercier le capitaine Dupuis comme il le mérite.

À notre arrivée devant Cadix, l'Espagne nous avait accueillies avec un noble et scintillant spectacle. Notre premier regard sur la France : Urdos, humble et gris village… malgré tout à jamais gravé dans nos mémoires ! Après un mois d'une vie qui ressemble à celle des soldats, nous attendent ici un bon lit, un planureux repas arrosé de vin de pays, un feu, des bougies, le grand, très grand luxe !

Deux jours plus tard, la ville de Pau, où doit nous rejoindre le général Merlin. Pour la première fois de sa vie, Mercedes se sent une vraie étrangère… Pas plus que moi, sans doute la seule femme noire dans toute la préfecture !

Avec l'arrivée du général, nous retrouvons notre bonne humeur. Deux élégants carrosses nous conduisent en tout confort jusqu'à Paris où nous entrons fin décembre 1813. Que réserve cette brillante capitale du monde dit civilisé à une superbe créole de vingt-quatre ans et à sa jeune esclave qui en aura bientôt trente et un ?

Troisième partie

PARIS (1813-1840)

Reine de la ville des lumières

1

Citoyenne de France!

Paris! Sûrement, il y a au monde pire endroit où s'exiler… Mais on gèle! Mercedes et moi avions du mal à vivre à Madrid, pendant l'hiver… On ne pouvait se faire idée de la grisaille et de la froidure de décembre à Paris! On hésite à sortir du logement coquet loué par le général Merlin, au 1 de la rue Chauchat, où la vie s'annonce douce et sans problème.

Compte tenu de son éducation plutôt cahoteuse, je m'étonne toujours de voir Mercedes se révéler une mère admirable. Elle dorlote – presque autant que moi! – la Teresa mignonne qui se remet vite des misères de l'horrible voyage.

L'oncle O'Farrill, qui habite à deux pas, s'en remet moins bien, surtout moralement. Cet homme fier, honnête, avec une conscience à fleur de peau, pardonne mal au roi Ferdinand VII, dont il a tout de même été le ministre de la Guerre avant l'arrivée de Joseph Ier, de l'avoir banni et déshonoré.

Il n'est pas le seul *afrancesado* à avoir subi ces outrages; ainsi, son vieux camarade et ami Don Miguel Joseph de Azanza, lui aussi ancien ministre de Ferdinand et ensuite de Joseph, a été privé de tous ses titres et exilé en France.

Les deux hommes se rencontrent souvent, discutent de leur disgrâce pendant de longues heures et préparent une sorte de mémoire, un *Exposé des faits qui justifient leur conduite politique depuis mars 1808 jusqu'en avril 1814*[46].

Pauvre oncle O'Farrill! Cette affaire l'obsède, on le comprend, mais elle commence à assombrir les réunions de la famille, auditoire captif sur qui il vérifie l'efficacité des arguments de son *Exposé*...

À la suite d'une allusion discrète de Mercedes, il promet en riant de n'en point parler au cours de notre premier dîner de Noël à Paris, qui aura lieu chez lui. Au demeurant, il se révèle un arrière-arrière-grand-oncle admirable, seul capable de calmer Teresa quand elle se mêle un peu trop à la conversation!

Je suis loin de me douter que ce Noël marquera une étape considérable dans l'histoire de ma vie. Nous allons sabler le champagne et nous souhaiter bonheur, santé et quoi encore, quand Mercedes intervient:

«J'ai une belle nouvelle à vous annoncer à tous: une loi française de 1791, dont j'ignorais l'existence jusqu'à hier, déclare libre toute personne blanche, brune ou noire qui entre en France... Ce qui revient à dire que, depuis huit jours, notre chère Cangis est une femme libre! En traversant la frontière, elle a cessé d'être une esclave même si, dans nos cœurs, elle ne l'a jamais été.»

J'ai peine à en croire mes oreilles, mais les bravos qui éclatent, l'émotion intense de Mercedes qui, bien entendu, fond en larmes, tout indique que je ne rêve pas.

Le général Merlin, par contre, n'a pas la larme facile, mais il me regarde avec douceur avant d'intervenir
à son tour :

« Cangis, sans même te demander la permission – et
il est toujours temps de refuser ! – j'ai fait des démarches
auprès du ministère de l'Intérieur et, sur une simple
signature, tu deviens citoyenne française ! »

Et mon Congo natal ? Une pointe de nostalgie vient
me pincer le cœur une seconde ou deux, mais comment
refuser pareil cadeau qui me rend aussi libre qu'il est possible de l'être, de nos jours, en ce monde ? Le général
continue :

« Cangis est un joli prénom, mais une citoyenne
française doit avoir aussi un nom de famille…

– Mon père s'appelait Aboucadilasso…

– Sacrebleu ! Voilà un nom bien compliqué qui te
causera des soucis, surtout en voyage…

– En voyage ?

– Sûrement, nous ferons quelques voyages à
l'étranger. Et sans doute voudras-tu accompagner la comtesse… Tu ne l'as guère quittée depuis La Havane !

– Je m'appelle Cangis. S'il me faut absolument un
nom de famille et si celui de mon père porte à sourire,
je m'appellerai Cangis Congo, tout bête ! Voilà ! »

Tout le monde lève sa coupe de champagne :

« Joyeux Noël, madame Cangis Congo, citoyenne
de France ! »

2

Rue de Bondy

Aussi longtemps que règne Napoléon, la jeune comtesse et le général Merlin sont évidemment invités partout, les salons de l'empire leur sont ouverts. Dans sa vaste demeure de Malmaison, ils rendent visite à Joséphine, l'ancienne impératrice : entre les deux belles créoles, l'une de Cuba, l'autre de la Martinique, existe une forte complicité.

Les Merlin restent très attachés au roi Joseph, récemment privé de son trône, et qui enfin retrouve la paix auprès de la fidèle reine Julie et de leurs deux filles. Mercedes et son mari vont le voir dans son palais de Mortefontaine, pas très loin de Paris : sans couronne et sans espoir d'en retrouver une, Joseph tient une petite cour fictive avec tout le cérémonial et l'étiquette de la cour de Madrid. « Encore aujourd'hui ? » demande Mercedes à un familier de l'ancien roi. « Non, répond-il. Plus que jamais ! »

Le 6 avril 1814, un événement sensationnel fait frémir notre petit monde... et secoue le monde entier qui, sauf rares exceptions, se réjouit de l'abdication de l'empereur Napoléon Ier, maintenant isolé à l'île d'Elbe comme le pestiféré qu'il est. Fuyant les Bourbons revenus sur le trône de France, le roi Joseph se réfugie en Suisse, dans le beau château de Prangins au bord du lac Léman. Très riche, il l'achète comme d'autres achètent une calèche.

Pour la famille, un autre événement important marque l'année : la naissance, le 9 juin, de Francisco Javier, premier fils de Mercedes et du général Merlin.

Les faits d'armes du général Merlin qui, après s'être battu en Italie sous Napoléon, devint le bras droit du roi Joseph à Naples, puis à Madrid, expliquent la méfiance des Bourbons à son égard et sa mise en retraite. Mars 1815 : après l'évasion de Napoléon de l'île d'Elbe et son retour triomphal en France, le général Merlin reprend aussitôt du service et, pendant les Cent-Jours, se bat avec l'armée du Rhin. C'est son métier, le pauvre homme… mais on ne me fera jamais croire qu'il n'y a pas de sots métiers !

Pendant les interminables Cent-Jours, le roi Joseph revient à Paris et contribue de son mieux aux dernières macabres aventures de son frère.

Napoléon abdique une seconde fois, pour de vrai, j'espère, qu'on en finisse ! Les Anglais ont appris leur leçon : ils le déportent à Sainte-Hélène, île du bout du monde, au large de l'Afrique méridionale, plus loin encore que le Congo.

J'ose croire qu'on ne reverra jamais plus cet être maléfique qui a failli conquérir toute l'Europe… au prix de deux millions de morts ! Son dernier coup : l'abandon de cent mille soldats gelés raides, plantés dans les steppes de Russie comme d'apocalyptiques épouvantails. La carrière d'assassin de Napoléon se termine comme elle a commencé dix-sept ans plus tôt en Égypte, d'où il s'est sauvé en laissant aux bons soins des vautours deux mille cadavres à moitié ensevelis dans les sables brûlants, desséchés, momifiés presque pour que, du haut des pyramides, puissent les contempler quatre mille ans de guerres, de massacres et d'horreur.

Après Waterloo, le roi Joseph choisit un exil plus lointain : l'Amérique. Sous le nom de comte de Survilliers, il devient gentilhomme fermier à Bordentown, au New Jersey. L'oncle O'Farrill, le général Merlin et même Mercedes restent en contact avec cet homme par certains côtés fort estimable, surtout comparé à son frère, l'Affreux Ier.

Merlin a une trop belle réputation dans l'armée pour être longtemps tenu à l'écart. Le nouveau roi Louis-Philippe le nomme inspecteur général de la cavalerie, avant de le créer grand officier de la Légion d'honneur.

Le 8 juin 1816 naît le troisième enfant de Mercedes, Gonzalgue Christophe, dont le double prénom le rattache à la fois à son père et à l'oncle O'Farrill. Deux ans plus tard, une deuxième fille, Annette Elizabeth Joséphine, qui vivra moins de quatre ans. Bref, la maison se remplit des cris et des piaillements de ces quatre beaux enfants, en déborde même au point que, en 1818, il faut déménager dans une plus vaste demeure, au 40 de la rue de Bondy.

La nouvelle maison est pourvue d'élégants et vastes salons où la comtesse commence à recevoir des amis en plus grand nombre : Français, Espagnols, Cubains... Au cours des années, ses soirées deviennent les plus prestigieuses de Paris. De partout, on y vient frayer avec les lumières politiques et littéraires, de La Fayette à Balzac, les grands noms des arts et de la musique, Puccini en tête, et

surtout pour entendre la voix superbe, sonore et péné-
trante de Mercedes. Elle serait devenue une très célèbre
cantatrice si son rang social ne s'y était opposé : une comtesse ne peut évidemment pas chanter pour de l'argent
devant le grand public !

Les amateurs de musique sont choyés : non seulement
peuvent-ils entendre la voix extraordinaire de l'hôtesse,
mais aussi, à l'occasion, celles des deux plus grandes
cantatrices d'aujourd'hui : la Sontag et la Malibran.

De surcroît, l'esprit vif et l'étonnante beauté de la
comtesse sont légendaires et, si on a plaisir à l'écouter
chanter, on en a autant à l'entendre parler… ou à la regarder ! Quand on aime Mercedes comme je l'aime, il
est difficile de ne pas la trouver fort belle ; je m'en remets donc au témoignage plus objectif d'un journaliste
de *La Revue musicale* :

« Madame la comtesse Merlin éblouit les salons de
Paris par sa resplendissante beauté. Sa tête pompeuse et
royale efface tout ce qui, n'étant que joli, ose se montrer
à ses côtés, ainsi que le soleil efface en plein jour la clarté
des lampes et des bougies. Si j'étais femme, je regarde-
rais Madame Merlin comme une vision fort redoutable,
et je m'éloignerais d'elle le plus possible comme d'une
lumière absorbante. Elle a, en effet, conservé sur sa belle
peau d'ambre mat ce rayonnement et cette clarté qu'ont
les femmes du Midi, et qui leur vient des premiers baisers du soleil. Au reste, la beauté de Madame Merlin est
surtout dans la ligne : seule, au milieu d'un temps à
figures fantasques et chiffonnées, elle maintient ces pro-
portions grandes et sculpturales où réside la majesté, ses
traits sont superbement vainqueurs et toute sa personne
régulièrement belle[47]. »

3

La cantatrice se fait écrivain

Grande effervescence à la maison : la comtesse achète à un prix inespéré la bibliothèque entière de la comtesse de Férou, petite vieille fort cultivée qui vient de mourir sans héritier. Une centaine de caisses remplies de trésors !

Je lis deux ou trois livres par semaine, ayant depuis longtemps dévoré tous ceux des écrivains qui fréquentent la maison et gratifient Mercedes de leurs ouvrages dûment autographiés : George Sand, Alfred de Musset, Alphonse de Custine, Honoré de Balzac, Sophie Gay, la duchesse d'Abrantès, Prosper Mérimée, Domingo del Monte et un petit jeunet, le poète Victor Hugo, dont le père, général de Napoléon, est un ami de l'oncle O'Farrill.

Au cours de l'été 1824, toute la famille s'installe en Suisse au bord du lac Léman, avec vue sur les Alpes, dans le château de Prangins, là même où, dix ans plus tôt, le roi Joseph s'était retiré avant les Cent-Jours.

Dans une lettre datée de juin 1825 à Paris, le général O'Farrill mentionne la chose à son ancien roi :

« L'année dernière, j'ai encore accompagné madame Merlin à son voyage en Suisse ; son mari, sa sœur et leurs jeunes filles en étaient aussi, et nous avons passé près d'un mois dans votre ancien château de Prangins, en acceptant cette offre obligeante de M. Presle comme si elle venait de vous-même. Cette persuasion a beaucoup contribué à nous rendre ce séjour bien agréable à tous. »

Le vieux château a abrité nombre de célébrités, mais ce qui me touche infiniment, c'est que Voltaire, mon très cher Voltaire, y a vécu depuis la fin de l'année 1754 jusqu'au mois de mars 1755. Comme nous, il a beaucoup aimé ces lieux dignes d'un roi... plus dignes encore de l'auteur de *Candide*!

Nouveau déménagement. Au début de 1831, nous quittons le 40, rue de Bondy pour le numéro 58 de la même rue. L'incroyable chambardement en vaut la peine: ce bel hôtel particulier devrait suffire à notre bonheur et à celui des amis de la famille au cours des prochains siècles!

Cette année marque un sommet de la gloire de la comtesse, au point où un journaliste n'hésite pas à écrire: « Tout Paris est tombé amoureux de la comtesse de Merlin! »

Première incursion de Mercedes dans le monde littéraire: en mars, elle publie à compte d'auteur *Mes douze premières années*[48] dans une édition hors commerce réservée à ses intimes. Elle raconte avec grâce son enfance à La Havane et révèle un beau talent pour l'écriture. Le livre échappe bientôt à ce cercle restreint et plusieurs écrivains connus vantent l'élégance et le naturel de ce premier ouvrage.

En corrigeant les épreuves, je suis bouleversée de lire le récit fidèle de mes deux premières rencontres avec la petite Mercedes, alors que j'étais encore esclave à la plantation de son père, Don Joaquin, plus tard comte de Jaruco. Cette femme étonnante et sensible n'oublie jamais rien!

Au printemps de l'année suivante, la comtesse publie son *Histoire de la Sœur Inès*[49], cette fois pour le grand public. Au début du livre, ce court avertissement:

« Les motifs qui m'avaient obligée à retarder l'impression du manuscrit de la mère Santa Inès ont cessé. Mes amis m'ayant témoigné plusieurs fois le désir de connaître son histoire, je la leur offre, sans altération, et telle que je l'ai reçue de la femme du ministre des États-Unis à Madrid. »

En lisant les épreuves envoyées par l'imprimerie Dupont et Laguionie, je ne peux m'empêcher, émue, de me rappeler la première lecture de ce récit bouleversant en compagnie de Mercedes… jusqu'à trois heures du matin!

Comme les autres, l'année 1832 est marquée de brillants concerts, de réceptions fabuleuses et de réunions intimes de cette famille à laquelle j'ai l'impression d'appartenir, toute noire que je sois!

La comtesse pose pour Mme Paulinier, peintre à la mode. Pure merveille, le portrait vaut à l'artiste un prix au salon de 1833. Le bon Balzac est en extase! Il lui dédicace son dernier roman, *Les Marana*, d'abord publié en feuilleton avant d'aboutir dans *La Comédie humaine*.

La santé de l'oncle O'Farrill nous cause de vifs soucis. Pourtant, depuis sa récente réhabilitation par le roi d'Espagne Ferdinand VII, il reprend goût à l'existence. Mais avant la fin de l'année, il s'éteint à la suite d'une courte maladie… sans doute écourtée par ces charlatans appelés médecins pour rassurer les familles ! La nôtre est atterrée de perdre le doux patriarche qui a présidé à tous les événements heureux ou malheureux de la vie de Mercedes et, par voie de conséquence, de la mienne. Il a tout de même 82 ans… âge rarement atteint par les esclaves de ses plantations de Cuba !

Le général O'Farrill repose en paix au cimetière du Père-Lachaise à Paris, tout près de son arrière-arrière-petite-nièce, Annette Elizabeth Joséphine de Merlin, morte à trois ans et neuf mois.

Mille huit cent trente-six : l'année de *Souvenirs et Mémoires*[50], sans aucun doute le meilleur livre de Mercedes. Elle y relate les péripéties de sa vie, depuis sa naissance à La Havane en 1789 jusqu'à l'exode d'Espagne en 1813 et notre arrivée à Paris.

Souvenirs et Mémoires de Madame la Comtesse Merlin est fort bien accueilli par le public et la critique, comme en témoigne cet extrait d'un article paru dans le *Journal des Débats* du 8 décembre 1836 :

« Mme Merlin, si célèbre par son talent de cantatrice et l'aménité de ses manières, a voulu conquérir une autre gloire ; elle y est parvenue sans peine : nous savons maintenant qu'elle écrit comme elle chante. »

Mercedes ne manque pas d'envoyer un exemplaire autographié de son livre au comte de Survilliers, ancien roi Joseph, dans son domaine américain. Une lettre l'accompagne : après l'avoir corrigée avec le plus grand soin, j'en ai gardé une copie en souvenir :

« Paris, 10 août 1836

« J'espère Monsieur le comte que vous serez assez bon pour vouloir bien accepter l'exemplaire qui accompagne cette lettre, du recueil de souvenirs, que je viens de publier. Les sentiments de reconnaissance et de véritable affection qui ont dicté quelques-uns de ces souvenirs, feront obtenir de votre part, je n'en doute pas, grâce au reste de l'ouvrage.

«Je saisis avec empressement et bonheur cette occasion de vous prouver que mon cœur n'a jamais oublié vos bontés pour moi, et vous a suivi constamment à travers tous les événements qui vous ont agité et peiné depuis quelques années.

«Vous avez sans doute appris le mariage de ma fille, et votre filleule. Je suis sûre que vous avez été assez bon pour vous intéresser à cet événement. Mon mari avait chargé M. Presle d'être son interprète près de vous : des raisons personnelles de délicatesse, l'ayant empêché de le faire directement.

«Adieu, Monsieur le comte, croyez aux vœux sincères que je fais pour votre bonheur, et à l'attachement de votre dévouée.

«M. Merlin

«Mon mari me charge de le rappeler à votre bon souvenir[51].»

On peut comprendre les «raisons personnelles de délicatesse» qui empêchent le général Merlin d'écrire directement à Joseph, son ancien roi dont il avait été le général favori à Naples et à Madrid. Après quelques années de pénitence à la suite de la défaite de Napoléon, le général Merlin a accepté de servir le roi Louis-Philippe en 1834. Il ne voudrait surtout pas que son nouveau roi apprenne qu'il conserve des liens intimes avec le frère de l'empereur déchu!

4

Les grands concerts

Bouleversée par le sort des Lyonnais qui ont tout perdu à la suite du débordement du Rhône, la comtesse organise un de ses grands concerts-bénéfice auxquels participent bénévolement les meilleurs musiciens de Paris, comme Artôt, célèbre violoniste, Garat et Duprez, ténors et compositeurs, concerts dont elle demeure la vedette incontestée. Elle recrute une centaine d'amateurs parmi la haute société parisienne et forme un chœur de chanteurs qui rivalise avec ceux de l'Opéra de Paris. Elle mobilise un orchestre symphonique de soixante musiciens. Elle s'occupe de tout: rassemble les partitions, les fait lithographier, loue la salle, organise les répétitions, prépare la publicité, vend les billets…

Douée d'un enthousiasme communicatif et d'une incroyable énergie, Mercedes se donne corps et âme à ces concerts qui rapportent de jolies sommes aux victimes de son choix.

On est ému de voir une aussi grande dame, vite devenue la reine incontestée du Paris mondain et culturel, se dépenser sans compter, aujourd'hui pour les malheureux Lyonnais, hier pour les réfugiés grecs, demain pour les insurgés polonais ou italiens, ou pour les victimes du tremblement de terre de la Martinique... où, soit dit en passant, en dépit de la loi de 1791 – et grâce à Napoléon! – l'esclavage est en plein essor!

Jamais je n'oublierai cette soirée, rue de Bondy, organisée pour venir en aide à *une* personnalité parisienne tombée dans la dèche et qui, selon la comtesse, mérite d'être secourue. En plus d'une loterie, elle offre évidemment un récital de chant. Elle a besoin d'un petit orchestre et demande son prix au célèbre Johann Strauss, père. Bien entendu, il s'amène avec ses musiciens sans exiger un sou!

Mercedes prend la peine d'écrire des lettres d'invitation personnelles à tous, comme par exemple à Domingo del Monte:

«Un grand désastre de fortune arrivé à une personne du monde à laquelle je m'intéresse vivement, m'a déterminée à organiser une loterie dont le produit est destiné au soulagement de cette infortune. Serez-vous assez bon pour y contribuer en prenant quelques billets dont le prix est fixé à un franc?

«Jamais malheur ne fut plus digne d'être secouru; jamais œuvre charitable ne fut mieux placée. La loterie sera tirée chez moi et suivie d'une soirée dansante, vers le 20 mai.

«Recevez, Monsieur, l'expression de mes meilleurs sentimens (*sic*).

«M. Csse Merlin[52]»

Le plus souvent, les concerts de la comtesse, donnés dans de vastes salles, sont au bénéfice des victimes d'une révolution ou d'un désastre naturel: cette fois, elle met tout en œuvre pour sauver du désespoir un seul individu. Comment ne pas admirer, aimer pareille femme?

Les cures d'eau à Baden ayant sur sa santé les meilleurs effets, Mercedes y passe un mois ou deux, à l'occasion. Je l'accompagne, cela va de soi, sûre que tous ces verres d'eau ne peuvent me faire de mal! Il lui arrive d'entraîner à sa suite quinze ou vingt Parisiens de qualité pour s'assurer que, même à Baden, elle aura autour d'elle des gens d'esprit pour discuter littérature… et faire de la musique!

Ces temps-ci, Mercedes fignole le manuscrit de son prochain livre: *Les Loisirs d'une femme du monde*, dont elle publie des tranches dans les journaux de Paris, cette fois dans *La Presse* de son ami Émile de Girardin. Intitulée *Maria*, la première partie raconte la vie de la fameuse cantatrice Mme Malibran, jeune amie et protégée de la comtesse.

Nous passons l'été de 1839 dans l'aimable château de Charenton, où amis et admirateurs viennent relancer Mercedes, dont Balzac qui me paraît follement amoureux. Immense écrivain, mais un peu grassouillet tout de même! Il n'a aucune chance, Mercedes aimant toujours son beau général, à qui elle restera fidèle.

Dans ses *Belles Femmes de Paris*, Balzac raconte sa visite à la comtesse dans ce superbe château de la Loire:

«Ce n'est guère à Paris, au milieu du bourdonnement des soirées d'hiver, dont elle est l'ornement et la dame patronnesse, que Mme la comtesse Merlin trouve le temps d'écrire, mais l'été, à la campagne, dans son château, au bruit des feuilles de son parc et au murmure des eaux. Hélas! notre été est l'hiver de cette belle créole; elle qui trouvait déjà l'Espagne froide, trouve notre soleil bien autrement gelé et pâle. À peine si elle se risque, au midi, sur la terrasse de son château de Charenton, sans pénétrer dans les allées du parc, toutes froides d'ombre et de silence. Elle en ouvre royalement les grilles aux voyageurs. Là tout est grand, magnifique et fier ; il semble que la beauté répande autour d'elle son caractère et son éclat jusque sur la nature qui l'environne ; les arbres de ce parc ont le port majestueux de leur maîtresse, les cygnes des viviers sa blancheur et le renflement soyeux de son cou, les fleurs sa grâce imposante et sa grande tournure. Il y a au bord d'une allée peuplée de bouleaux, sous beaucoup de feuilles et de soleil, un petit pavillon couvert de chaume et tapissé de lierre, d'où l'on voit couler l'eau dans un fossé entre des joncs : c'est là, dit-on, que Mme la comtesse Merlin a écrit ses mémoires[53]. »

Si ce n'est pas le langage d'un amoureux, j'aimerais bien savoir ce que c'est !

5

La mort du général

La grande tragédie de l'année 1839 : la mort du
général Merlin à l'âge de 68 ans, dans son lit, comme il
sied à un général. Sans doute avait-il vingt ans de plus
que Mercedes, mais ces deux êtres si différents par l'âge,
le milieu, la culture ont vécu un grand amour dont auraient du mal à se vanter des couples mieux assortis.

Je frémissais d'émotion en corrigeant les lettres
d'amour tendre que Mercedes lui envoyait, d'abord sur
les champs de bataille d'Espagne, ensuite là où la fameuse armée du Rhin s'est battue désespérément pour
sauver de la débâcle un empire pourri jusqu'à la moelle.

Quand je me rappelle le long calvaire entre Madrid
et la frontière française, je revois ce superbe cavalier chaque nuit risquer sa vie pour apporter à sa jeune femme
et à la petite Teresa, âgée de quelques semaines, sa tendresse, de l'eau fraîche, et des provisions, dont il se pri-
vait sans aucun doute.

Au cimetière du Père-Lachaise, Merlin rejoint
l'oncle O'Farrill, l'autre général de la famille, et sa fille
Joséphine, si tendre et si fragile.

En raison de son métier de fou, même dans ses fonctions récentes d'inspecteur général de la cavalerie, le général Merlin était rarement à la maison. Mais les époux se vouaient une sorte de culte réciproque, jamais démenti jusqu'à la mort du général.

Les nombreuses absences de son mari auraient pu donner à Mercedes un prétexte pour céder aux instances de ses innombrables courtisans. Reine de Paris, elle fascine tous les grands noms de l'aristocratie, de la politique, de la littérature et des arts qui lui font une cour assidue.

Depuis sa première lettre d'amour datée de Madrid, le 27 octobre 1810, Mercedes en a écrit des centaines d'autres à son général aimé, lettres qui se terminent avec des variantes de cette phrase d'amoureuse de vingt ans :

«Adieu, aime moi toujours, mais avec la plus vive tendresse, car c'est l'unique moyen de faire le bonheur de ta Mercedes[54].»

Il n'était pas souvent rue de Bondy, mais le fait qu'il n'y reviendra plus nous bouleverse tous au-delà de ce qu'on peut exprimer. Nos deux généraux partis, Mercedes devient chef de famille et bientôt se rend compte que la «reine de Paris» doit réduire son train de vie...

En juillet 1839, nous sommes en Suisse en compagnie de Mme de Sparre, amie avec laquelle Mercedes partage sa passion pour le chant. L'objectif du séjour : jouir en paix de la merveilleuse nature de ce pays, en respirer l'air pur en écoutant les chants joyeux ou mélancoliques des montagnards.

Un jour, le marquis de Louvois vient nous rendre visite et, inopinément, cet homme imprévisible propose un voyage en Italie! Époustouflées, la comtesse et son amie trouvent l'idée pour le moins extravagante...

« N'aimeriez-vous pas voir Naples avant de mourir? Et surtout la magnifique salle de concert San Carlo?» demande le marquis aux deux cantatrices qui rêvaient d'assister un jour à un concert dans cette salle au prestige international. Il avait trouvé l'argument massue!

Nous traversons rapidement la Toscane, les États pontificaux pour arriver au plus vite à Naples, but de l'étrange voyage. Pendant que nous nous reposons chez des amis du marquis, il se rend en hâte au théâtre San Carlo... pour apprendre du directeur que, la saison terminée, le théâtre a fermé ses portes!

Le marquis de Louvois nous propose tout de même de visiter la superbe salle, absolument vide, mais qu'il a fait éclairer avec plusieurs centaines de bougies parfumées. Mieux que rien! Cet homme a de la classe et mérite l'amitié de Mercedes.

Le silence insolite de ce beau théâtre, illuminé comme pour un grand concert ou un opéra, nous impressionne et vaut le déplacement.

« Quel dommage, tout de même, dit Mercedes, de ne pouvoir entendre ici un morceau de Rossini! Quelle sonorité doivent avoir ces lieux!

– Alors, chère comtesse, avec votre merveilleuse voix de soprano, chantez-nous la cavatine du *Barbier*, "*Una voce poco fà*" : nous serons votre public.

– Voilà qui est bien joli, mais chanter sans accompagnement? En vérité, l'effet ne sera pas merveilleux.

– Faites-moi confiance... », répond le marquis.

Et à l'instant même, la fosse d'orchestre se met à fourmiller de musiciens qui surgissent de tous les coins pour former un grand ensemble. Sur un signe du maestro, retentissent les premiers accords de l'ouverture du *Barbier*, suivis de la ritournelle de la cavatine de Rosina : la comtesse chante son aria avec brio, longuement applaudie par le public... de trois personnes !

Le marquis invite ensuite Mme de Sparre, qui chante « *Di piacer mi Balza Ibeor*» avec autant d'âme que devant des milliers d'auditeurs !

Enfin, les deux amies interprètent de façon divine le célèbre duo de la *Sémiramis*... devant le marquis de Louvois et une ancienne esclave venue d'Afrique ! Les grands moments musicaux ont enchanté ma vie depuis Madrid, mais jamais encore je n'avais ressenti une telle émotion esthétique. Ces deux superbes cantatrices, cette salle vide mais étincelante de bougies, comme un soir de première, ce puissant orchestre d'environ une centaine de musiciens... Des larmes coulent sur les joues du marquis et sur les miennes. En le regardant, j'ai cette pensée dont je ne suis pas très fière : mis au service de la galanterie, l'argent peut à l'occasion faire un petit miracle. Ne répéter à personne !

6

Le premier salon de Paris

Je m'habitue à ne plus être esclave, mais dame de compagnie, secrétaire et amie de la «reine de Paris», présente à tous ses concerts-bénéfice et bien sûr à ses soirées, rue de Bondy, où de grands personnages auraient payé cher le privilège d'une invitation.

Moi, petite Négresse ramenée de Cuba, donc «ancienne esclave ou fille d'esclaves» doivent bien penser les invités de la comtesse, je participe à toutes les soirées, souvent même aux dîners plus restreints. Les invités me traitent avec gentillesse, tout en gardant une certaine distance… comme avec une belle enfant barbouillée de confiture! Pour mille et une raisons, je ne puis être juge impartial des célèbres soirées de Mercedes. Mais je sais tout le bien qu'en disent ceux-là mêmes qui ne comptent pas parmi les habitués de la rue de Bondy, je lis ce qu'en écrivent les chroniqueurs des journaux, certains aussi prestigieux que Balzac ou Sainte-Beuve.

On vante les soirées de la comtesse en raison de la qualité et de la notoriété de ses invités, des superbes voix et de la belle musique qu'on y peut entendre, mais tous les commentateurs insistent sur un point: la comtesse de

Merlin est une hôtesse exceptionnelle, une femme hors du commun dont la grâce, la finesse et l'amabilité ont séduit Paris, capitale de l'esprit et de l'art. «Elle est belle, elle est jeune, elle est riche, elle a tous les talents, dont une voix de soprano absolument unique», voilà qui revient toujours quand on parle de la comtesse de Merlin.

Une autre phrase souvent entendue ou lue dans les gazettes : «Cette admirable femme n'a pas d'ennemis!»

En effet! Dans ce milieu que j'ai bien connu, bien observé, on s'entre-déchire à belles dents, on se calomnie, se méprise, se hait. Et pourtant, ma chère Mercedes trouve grâce même aux yeux des femmes qui devraient la considérer comme une rivale ; quant aux hommes, ils sont tous à ses genoux!

Sans doute, l'immense succès du salon madrilène de sa mère a inspiré Mercedes… Avec quelques différences : en plus de payer tribut aux gens de lettres et aux artistes, sans oublier les puissants de l'heure, la comtesse de Jaruco tenait à Madrid une véritable maison de jeu, doublée d'un lieu de rendez-vous pour aventuriers de l'amour. Rien de tel, rue de Bondy… où la musique apaise toutes les passions, sous la direction d'un maître, le grand, l'étincelant Rossini, compositeur d'innombrables opéras, populaires dans toute l'Europe. Il accompagne au piano ses plus illustres interprètes, telles Mme Malibran et la comtesse de Sparre, deux grandes amies de la comtesse de Merlin.

Naturellement, le moment le plus attendu reste celui où Mercedes elle-même chante. Ceux qui l'on entendue dans le rôle de Norma, accompagnée par Rossini lui-même (ou dans la cavatine de *Sémiramis*!) ne l'oublieront jamais!

Mais la musique n'est pas le seul attrait de la rue de Bondy où s'impose la présence fort importante des romanciers, poètes, philosophes et hommes politiques : tous veulent entendre Mercedes... et faire partie des chœurs !

Les grandes personnalités cubaines de passage à Paris sont bien accueillies aux soirées de la comtesse, où ils apportent la musique de La Havane, le parfum des îles et les plus récentes nouvelles de Cuba, rarement bonnes. Même en l'absence de ses compatriotes, le salon de Mercedes contribue à faire connaître le pays natal. Comtesse espagnole, épouse d'un grand général français, elle pourrait oublier ou faire oublier ses racines cubaines. Au contraire, elle ne cesse de les proclamer, d'où son insistance auprès de l'éditeur des *Souvenirs et Mémoires* pour que ce titre soit suivi d'un sous-titre explicite : *Souvenirs d'une créole.*

Après toutes ces années en Europe, l'âme de Mercedes est restée cubaine... comme la mienne, congolaise !

Quatrième partie

LA HAVANE (1840)

Retour de la créole prodigue

1

L'Atlantique à la vapeur

Mille huit cent quarante. Veuve depuis l'an dernier, Mercedes a cinquante et un ans. Ses enfants n'ont plus besoin d'elle. Jamais elle n'a compté un plus grand nombre d'amis et d'admirateurs dans la haute société et les milieux de la musique et de la littérature. Et elle est toujours belle!

À la mort du général Merlin, Mercedes reprend en main l'administration de ses affaires et se rend vite à l'évidence : elle n'a plus les moyens de maintenir un salon toujours aussi couru, de multiplier les largesses, bref de dépenser sans compter.

Vient alors l'idée du voyage à La Havane : il lui permettra, entre autres, de faire valoir ses droits sur sa part d'héritage auprès de son frère Francisco Javier : devenu comte de Jaruco et de Mopox à la mort du père, il hérite ainsi de tous les biens rattachés à ces titres. Déjà Mercedes a fait appel à la générosité de ce frère tant aimé, mais il fait la sourde oreille : il juge que sa sœur dilapide sa part de la fortune familiale en mondanités futiles.

Ce retour au pays natal après une absence de près de quarante ans, cette redécouverte de Cuba, dont elle ne garde que les souvenirs embellis de son enfance, pourrait faire l'objet d'un nouveau livre : ses amis poètes ou romanciers encouragent fortement ce projet. Après la publication des *Souvenirs et Mémoires*, ils la considèrent comme l'une des leurs : même le redoutable Sainte-Beuve, critique sans pitié que ses victimes appellent Sainte-Bave, lui consacre un de ses fameux *Premiers Lundis*[55], dans lequel il vante autant l'ouvrage que la personne de son auteur.

La comtesse place donc ses espoirs dans son talent littéraire déjà reconnu et rêve d'écrire un grand livre sur Cuba : servir son pays d'origine… tout en remettant ses finances à flot !

Depuis toujours, elle se proclame cubaine, *créole*, comme elle se plaît à préciser, mais elle a reçu son éducation en Espagne, où elle a vécu de l'âge de douze à vingt-quatre ans. Comme elle a dû suivre son mari chassé d'Espagne avec le reste des armées de Napoléon, elle est devenue française, tous ses livres sont écrits et publiés en français à Paris. Drôle de créole ! Ce voyage à Cuba sera pour elle l'occasion de se replonger corps et âme dans ce pays devenu un rêve aux couleurs de plus en plus incertaines.

Le « grand livre » sur Cuba sera donc un récit de voyage farci de renseignements les plus divers sur la politique, l'éducation, l'esclavage, les atrocités de la conquête espagnole, la culture du tabac, et quoi encore ! Forcément, Mercedes devra s'appuyer sur la documentation et les chiffres fournis par des amis comme Domingo del Monte, José Antonio Saco et autres Cubains éminents, hôtes occasionnels de la rue de Bondy.

Depuis des mois, Mercedes me parle de ce vaste projet auquel je suis forcément associée… Et pourtant,

Dieu m'en est témoin, je n'ai aucune envie de revoir Cuba, terre de mes malheurs !

Puis un jour, de but en blanc, elle m'annonce que nous nous embarquons pour New York dans quelques semaines, le 16 avril 1840, depuis le port de Bristol, en Angleterre !

D'abord se rendre à Bristol : voyage ininterrompu, plus de vingt-huit heures à être secouées dans les diligences, malmenées par le mauvais temps sur la Manche. Épuisées, nous appréhendons les misères assurées de l'interminable traversée de l'Atlantique. Prévoyant être malade comme d'habitude, Mercedes m'annonce sa décision de me dicter les longues lettres destinées d'abord à des amis avant de devenir les chapitres du grand livre au titre laconique déjà choisi : *La Havane.* Bon. Au moins, je ne m'ennuierai pas !

Nous aurons le temps de poster de Bristol une première lettre à sa fille Teresa, Mme Gentien de Dissay. Du genre larmoyant :

« Quitter à la fois les moelleuses jouissances matérielles, les plaisirs raffinés, les attraits inappréciables de la vie de Paris, et les échanger contre les périls, les souffrances, les privations d'une longue traversée, – laisser derrière soi tout ce qu'on aime, – partir seule… »

– Aïe ! Et moi, alors ?

« … avec Cangis, rester dans l'abandon et l'isolement, certes, ce sont de rudes conditions à s'imposer[56] ».

Je ne peux m'empêcher d'esquisser un sourire, tout de suite remarqué :

« Alors quoi, Cangis ? Tu n'es pas d'accord ?

– Oh ! Je le suis ! Tu as raison : la traversée de l'océan demeure une rude épreuve, toujours périlleuse et souvent cauchemardesque. Mais…

– … mais quoi ?

– L'espace de quelques secondes, me sont venues à l'esprit des images de ma première traversée de l'Atlantique à bord du négrier du capitaine Douglas… »

Mercedes baisse les yeux… Je regrette déjà ma petite méchanceté pas vraiment méritée. Pour changer de sujet, je l'interpelle au sujet de son choix du *Great Western*, le premier navire à utiliser la vapeur en plus des voiles pour traverser l'océan. Sa nature curieuse, m'avoue-t-elle, a été séduite par les articles enthousiastes publiés dans les journaux d'Europe au cours des derniers mois : « Le triomphe de la vapeur ! » On s'extasie : « Une expérience sensationnelle ! »

Le premier voyage, dont nous faisons partie, défraie la chronique : « Le *Great Western* écrit une page de l'histoire maritime en quittant le port de Bristol pour New York le 16 avril 1840. »

Bref, un événement. Pour la presse parisienne, le départ de la comtesse en est un autre, comme l'exprime bien la *Revue et Gazette musicale de Paris* :

« La musique a un sujet d'affliction : madame la comtesse Merlin, la reine du plus mélodieux de nos salons, est partie ; elle va à La Havane, cette contrée de son enfance qu'elle a décrite avec tant de talent, d'esprit et d'affection[57]… »

Le 15 ou le 16 avril, je n'en suis pas sûre, nous montons à bord du *Great Western*, énorme vaisseau encore muni de voiles mais comptant sur la vapeur pour faire tourner une immense roue à palettes.

Quel choc pour cette pauvre Mercedes si sensible et si raffinée, à la santé toujours fragile. On dirait une biche affolée, ne sachant où donner de la tête, poussée, bousculée, écrasée par une centaine de passagers ahuris, à la recherche des meilleurs coins du pont ou de la cabine commune, vaste dortoir.

Aussitôt assise sur sa grosse malle, Mercedes veut partager avec sa fille ses toutes premières impressions. (Mon écritoire, faut-il le préciser? contient un de ces encriers modernes impossibles à renverser.) Elle me dicte ces descriptions vivantes, pittoresques et rigoureusement exactes:

« Je me suis trouvée aussitôt seule (avec Cangis) au milieu d'un désordre effroyable. Quatre-vingts à cent passagers sur le pont, pêle-mêle, avec leurs coffres, malles, porte-manteaux, boîtes à chapeaux, parapluies, doubles et triples manteaux, embauchoirs, paletots, sacs de nuit, cartons. – Tout cela roulant de côté et d'autres, au milieu des cordes, des poulies qui grinçaient, et des matelots qui manœuvraient, courant, criant, bousculant bagages et passagers! – Nous étions là, au milieu de ce vacarme infernal, pâles, tremblantes, sans savoir de quel côté chercher un regard de commisération, entourées de visages grossiers, farouches, tous inconnus et tous portant l'empreinte de l'indifférence et de la personnalité. Nous nous blottissons dans un coin, et accoudée sur une caisse, la tête appuyée sur ma main, je crus que j'allais m'évanouir[58]. »

Ça n'aurait pas été nouveau! Elle ne l'avoue pas encore mais, par-dessus le marché, à la première houle, elle est terrassée par un mal de mer abominable: il ne la quittera qu'à l'arrivée à New York... dans trois semaines!

Dans une autre lettre destinée à sa fille, Mercedes décrit les pénibles sensations éprouvées par les malades de la mer:

«Depuis cinq jours, je suis étendue sur le pont, exposée au vent, à la pluie, au brouillard, aux coups de mer, et dans un état complet d'insensibilité ; je me croirais morte si je ne sentais pas, mon enfant, que mon cœur est toujours là pour t'aimer. — Je ne sais à quelle âme compatissante je dois le manteau qui couvre mon corps transi (*mais à Cangis, voyons !*) ; la souffrance a complété mon isolement en me privant de moi-même [...] — Mais d'où vient que la grandeur et la magnificence de la mer ne me touchent plus ? — Pourquoi, en la contemplant, cette étourdissante et splendide beauté, ne sens-je plus un seul battement de mon cœur ? — Pas une larme ne vient mouiller ma paupière. — Le vent qui souffle dans les cordages, la tempête qui soulève les flots, la foudre et le firmament, je n'entends, je ne vois rien. — Un marasme stupide et désespéré me domine, des pensées lentes et vagues se croisent et se heurtent dans mon cerveau comme des fantômes. — Ai-je donc perdu le sentiment du beau ? Est-ce à cette lutte entre la vie et la mort, qui m'obsède, m'irrite et m'accable, qu'il faut attribuer cet anéantissement[59] ? »

Si au moins, à l'occasion, Mercedes avait pu se réfugier dans sa cabine ! Mais il n'y a à bord qu'une seule grande cabine pour les cent treize passagers : caravansérail où l'on manque d'espace et d'air ! Mieux vaut encore le pont où, blottie dans un coin, elle essaie de dormir quand elle ne me dicte pas un bout de lettre. Généralement très lisible, mon écriture devient pénible gribouillage : j'aurai du mal à déchiffrer tout ça, le moment venu !

Le lendemain, toujours allongée sur le pont encombré, grouillant de monde, jonché d'ordures, Mercedes n'est pas de meilleure humeur. Elle me le fait savoir en même temps qu'à sa fille:

«Nous ne filons que trois à quatre nœuds, à la grande fatigue de la roue, qui lutte rudement contre la vague et nous donne des secousses intolérables.

«Mon état de souffrance m'oblige à rester constamment au grand air, appuyée sur de mauvais coussins, et vouée au supplice de tous les sens. Excepté aux moments des repas, la foule vient établir son camp à toute heure sur le pont. Imagine-toi, dans ce court espace, environ cent-cinquante personnes malades ou en bonne santé, se pressant, se portant et se gênant mutuellement sans cesse: les uns sifflent, les autres parlent haut ou se disputent[60]...»

Sans oublier tous les malheureux appuyés au bastingage, vomissant leur âme! Comme il faut nourrir au moins ceux qui ont la force de manger, le pont est également encombré de cages contenant des animaux vivants:

«... puis, les pourceaux de grogner, les vaches de mugir, là un mouton qui bêle dans sa cage, ici une poule qui se lamente; car tous ces êtres privés de raison, – à commencer par les pourceaux, bien entendu, – ont le mal de mer.

«À cette bacchanale infernale, à ce supplice de damné, vient se joindre celui d'une épaisse fumée de tabac, combinée avec les émanations nauséabondes de la vapeur, du goudron et de la basse-cour, qui, toute voisine de nous, fait partie de la société[61].»

Pour ceux qui ne sont pas malades, «le grand luxe consiste à faire bonne chère. [...] Certains n'ont pas quitté la table depuis qu'ils se sont embarqués, attendu que cinq repas par jour, prolongés par de copieuses rasades, forment une ligne de continuité sans fin. Leur béatitude contraste durement avec l'état de ces pauvres créatures qu'on voit là, mourantes du mal de mer, en face de leurs visages réjouis et avinés, avalant d'énormes tranches de bœuf et s'abreuvant de vin de Madère, d'eau-de-vie et de grosses plaisanteries[62]! »

Voilà la vie à bord du *Great Western* quand la mer n'est pas trop mauvaise. Mais le 27 avril, Mercedes, déjà à moitié morte, devait connaître une de ces furieuses tempêtes caractéristiques de l'Atlantique Nord :

« Le vent, toujours tenace, n'avait pas quitté le nord-ouest, et rugissait comme un lion mourant pendant que les vagues se brisaient avec violence contre la roue. Renversé sur l'arrière, le navire restait suspendu perpendiculairement et marchait avec la tête, comme ces petits bons hommes en plomb, qui divertissent tant les enfants. Par ce roulis formidable, le dîner était impossible : assiettes, verres, carafes, étaient renversés avec les serviteurs qui les portaient, avant d'arriver à la table. Il eut été d'ailleurs impossible de conduire une bouchée de l'assiette aux lèvres : tout fuyait en route ; chacun semblait attaqué d'épilepsie. Pour moi, couverte d'une peau d'ours du Canada qu'un brave homme m'avait prêtée, attachée sur le pont comme une criminelle, j'entendais de loin le tintamarre, et bravais avec une fermeté stoïque les bordées d'eau marine qui passaient d'un bout à l'autre du pont.

« Le soir, la pluie étant devenue trop forte, je descendis à la cabine commune, non sans me laisser choir plus d'une fois avant d'y arriver. Là, désordre complet. Chaises, livres, pupitres, lancés simultanément en l'air, retombaient au hasard ; des malades gisaient de tous côtés, pâles et à demi morts ; sur deux ou trois fauteuils, de pauvres femmes liées avec des cordes, la tête renversée, ne donnaient plus signe de vie[63]. [...]

« L'orage a continué pendant la nuit ; le vent était devenu intolérable. Au bruit des vagues et de la rafale venaient se joindre le craquement des cloisons, le grincement de la roue et des barres du gouvernail, les pas lourds et pressés des matelots. – Je gémissais au fond de mon grabat, et étreignant de toutes mes forces les planches qui le bordaient, afin de ne pas rouler à l'autre bout, j'espérais avoir épuisé tous les supplices de cette malheureuse nuit, quand une forte douche, pénétrant par le haut de ma lucarne, tomba d'aplomb sur mon visage. – Mon lit était inondé[64]. »

Dieu merci, je n'ai pas le mal de mer. Je porte secours à Mercedes, je lui trouve des vêtements secs dans nos bagages éparpillés et lui apporte du thé quand elle en a envie. Je la quitte rarement, sauf pour aller me restaurer et lui rapporter des fruits qu'elle ne mange pas.

Le seul avantage de ces tempêtes : l'impossibilité de prendre la dictée, travail déjà difficile par beau temps...

2

Une comtesse chez les Yankees

Après vingt jours et vingt nuits de ce voyage au
bout de l'enfer, Mercedes se met à renaître doucement
à la vue du port de New York qui, bien sûr, n'impressionne pas outre mesure cette Parisienne sophistiquée :
« Point de grands édifices, de hauts clochers, de monuments saillants ; mais des maisons en bois toutes neu-
ves, peintes de différentes couleurs et peu élevées ; la
plupart n'ont qu'un étage ; et les toits, les cintres des fenêtres ne font pas saillie, ce qui donne à l'aspect général de la ville un caractère monotone et triste : on voit
que *le puritanisme a passé par là*[65]. »
C'est moi qui souligne cette dernière phrase qui
révèle un préjugé certain contre ce pays tout neuf, dont
Mercedes ne sait rien, sauf par ouï-dire. Nous y séjour-
nerons près de trois semaines en attendant le départ du
Christophe-Colomb, le svelte navire à voiles, et seulement à voiles, qui nous conduira enfin à La Havane.
Femme curieuse, Mercedes ne perd pas de temps :
non seulement nous visitons New York, mais aussi Philadelphie, Baltimore et même Washington. Dans ses lettres, elle ne se contente pas de décrire les lieux, mais

juge la société américaine dont la fébrilité, le sans-gêne et le «puritanisme» l'agacent à mort. Des observations parfois justes, parfois inspirées par les préjugés d'une aristocrate qui, depuis 1814, brille dans la plus belle ville du monde…

Les impressions du voyageur le plus sincère sont influencées par les circonstances, souvent par des incidents mineurs mais contrariants. Par exemple, en arrivant à New York, où Mercedes ne connaît personne, nous avons beaucoup de peine à nous loger et nous aboutissons dans une lugubre «maison garnie», au centre de la ville. Le plus souvent possible, nous nous en évadons pour aller visiter New York en fiacre :

«Les rues, alignées et bien entretenues, sont d'ailleurs mal pavées, faute de matériaux ; le bois remplace le caillou, et, à l'exception de la longue chaussée de Broad-Way, en partie macadamisée, le reste est composé de madriers liés transversalement, ce qui, joint à la rudesse des voitures, qui ne sont pas suspendues, rend toute course intolérable : on rentre le corps brisé[66].»

Qu'à cela ne tienne ! Elle veut tout voir. Au théâtre, on se fait bousculer par la foule et on nous vole nos lorgnettes ! Comme elle s'intéresse aux soins apportés aux sourds-muets, aux aveugles et aux malades mentaux, nous visitons des établissements de charité et un asile d'aliénés où nous prenons le thé avec une malheureuse nièce de George Washington… qui veut nous apprendre à jouer de la guimbarde !

Cette drôle de comtesse ne cesse de m'étonner ! Elle dénonce la traite des esclaves tout en acceptant l'esclavage ; elle fustige la dictature coloniale sans réclamer l'indépendance de Cuba ; elle exige des réformes démocratiques en profondeur pour la société cubaine, mais s'accommode plutôt mal des conséquences sociales de la démocratie américaine : « On achète cher la liberté collective, quand on la paye par l'esclavage individuel ! » lance-t-elle en toute candeur.

Pour aller à Philadelphie, nous devons prendre le train, comme tout le monde, *avec tout le monde* :

« En route, on est forcé, bon gré mal gré, de voyager dans la même voiture avec soixante ou quatre-vingts individus qui mâchent du tabac, crachent et sentent mauvais. Arrivez-vous dans une auberge, vous êtes servi à l'heure de tout le monde ; plus tard, vous vous coucherez sans dîner dans une chambre commune, souvent dans un lit commun, à moins toutefois que vous n'ayez un titre ; car, dans ce pays, la seule distinction, c'est un titre[67]. »

La comtesse fait mine de s'étonner de ce petit travers des Américains, bien qu'elle-même soit plutôt fière de son titre, gentillesse du roi Joseph. Elle est comtesse *de* Merlin et non comtesse Merlin, comme on dit à Paris. Accordé par le roi d'Espagne, il s'agit d'un titre espagnol qui, comme bien d'autres, a été contesté après la chute de l'Empire. Quelle importance ! Mercedes possède une noblesse naturelle, elle est plus princesse que comtesse, plus reine que princesse… À La Havane, tous ses parents sont comtes ou marquis ; à Madrid, elle a frayé avec les ducs, les grands-ducs, les princes et les rois ; à Paris ou ailleurs, les aristocrates de la plus haute noblesse sont à ses pieds…

En Amérique, elle comprend mal qu'un titre puisse lui valoir plus d'attention qu'à une autre. Comment une insignifiante particule peut-elle lui ouvrir des portes fermées à Madame Unetelle ?

«Pour moi, qui n'avais jamais songé qu'un mot au bout de mon nom, ou devant mon nom put ajouter à mon mérite, il m'a fallu vivre parmi les *pur-sang* de la *démocratie*, pour savoir ce que vaut un quartier de noblesse, prisé ici comme le talent en France, comme le soleil est adoré chez les Indiens. Ces républicains bizarres ne pouvant pas atteindre à ce genre de distinction, ils s'emparent des grades militaires : c'est à qui se fera nommer *colonel, capitaine, lieutenant,* sans avoir jamais vu une parade ni un régiment, mais moyennant une légère rétribution[68]... »

Une autre caractéristique de l'Amérique l'étonne au plus haut point : l'importance de l'argent, dernier souci de l'enfant Mercedes gâtée par sa bisaïeule à La Havane, de la jeune femme archicomblée de Madrid, de la comtesse parisienne qui, jusqu'à ce jour, a mené la vie à grandes guides tout en multipliant bontés et largesses.

Or voilà qu'elle découvre une société où l'argent est roi :

«L'argent, comme vous voyez, écrit-elle à M. Piscatory, ami français, membre de la Chambre des députés, est le seul mobile ici ; tout s'achète : ordre, morale, vertu, religion. Ainsi, tous les nobles sentiments qui tendent à la perfection de l'homme ne sont encouragés que par le vil moyen qui les flétrit, c'est-à-dire rien que les apparences : aussi, ils en ont pour leur argent. – Arrachez le voile, – vous trouverez un cadavre, – l'hypocrisie[69] ! »

Cette fière Cubaine du XIXe siècle, tout en admirant certaines de leurs réalisations, n'éprouve guère de tendresse à l'égard des Yankees, dont le matérialisme lui paraît sordide, l'appât du gain, vulgaire, et le manque de culture et de raffinement, tout à fait *shocking*!

Le développement spectaculaire des États-Unis, l'influence qu'ils auront bientôt sur le reste du monde inquiètent Mercedes :

« Les mœurs américaines seraient-elles donc le partage des peuples à venir ? – Sont-elles la suite inévitable des principes démocratiques ? – Et les États de l'Europe, en se rapprochant de ce système politique, en subiront-ils aussi les conséquences[70] ? »

Parce qu'elle n'est pas une ville dominée par les gens d'affaires, comme New York, Philadelphie plaît à Mercedes. Curieusement, elle insiste pour visiter d'abord, par le menu, le pénitencier. Même l'édifice l'intéresse : il a la noble allure d'un château féodal... et elle s'y connaît en châteaux ! Minutieuse visite des cellules qui ont onze pieds neuf pouces de long sur sept pieds six pouces de large : voilà qui devrait passionner les lecteurs de *La Havane* ! Elle s'apitoie longuement sur le sort d'une prisonnière catholique, dont la cellule est transformée en oratoire, admire la propreté des lieux, mais s'indigne des punitions corporelles, d'une incroyable cruauté, réservées aux prisonniers récalcitrants.

D'autre part, cette femme plutôt croyante est scandalisée par le phénomène des sectes, déjà considérable en ce milieu du XIXe siècle aux États-Unis :

« Si le nombre des sectes que renferme une nation suffisait pour prouver qu'elle est plus religieuse qu'une autre, les Américains du Nord seraient les plus religieux des peuples. Ici, l'on ne se borne pas à s'attacher à telle ou telle secte ; non seulement on en change pour les motifs les plus frivoles, – la mode suffit ; – mais on multiplie à l'infini les subdivisions et les nuances des sectes nouvelles ; chaque jour elles éclosent, revêtues des formes les plus bizarres[71]. »

L'esclavage demeure un des rares sujets sur lesquels je ne puis m'entendre avec Mercedes. En aucune manière ! On évite donc d'en discuter. Il m'intéresse cependant de voir comment elle réagit devant le sort réservé par les Yankees aux esclaves libérés :

« Le nègre est ici une sorte de pestiféré que l'orgueil des blancs tient toujours à distance. Au théâtre, il est parqué dans une place désignée ; en chemin de fer, il a un wagon à part, comme les bagages : gare à lui s'il se fait voir dans les environs des voitures qui portent les voyageurs blancs ; une église isolée lui est assignée ; il lui est défendu de pénétrer dans les autres ; partout les nègres sont rejetés. Vous diriez qu'on ne les élève jusqu'au niveau de l'égalité universelle que pour avoir ensuite le plaisir de les repousser du pied jusqu'au dernier degré de l'échelle sociale. Une fois libres, ils n'ont d'autre ressource, pour vivre, que de se faire domestiques, état plus dégradant ici que partout ailleurs[72]... »

Cependant, Mercedes s'émerveille de la « cité chinoise » de Philadelphie. Nous en sortons étourdies, éblouies, charmées ; nous croyons avoir été transportées en rêve, sur l'aile d'une fée ou d'un génie, « dans la ville de Pékin[73] ».

Utilisant un train, un bateau à vapeur et une calèche, nous nous rendons jusqu'à Baltimore, « une ville jolie, fraîche, comme toutes celles du littoral, et beaucoup plus animée que Philadelphie. On ne se lasse pas de parcourir les environs, qui sont ravissants ».

Mercedes s'intéresse à tout, même à l'état financier de l'Union, à ce moment si désastreux :

« Le mal est sans remède, c'est le cœur qui est attaqué. Il n'est question que de dettes non payées et de récriminations mutuelles ; partout on crie contre la mauvaise foi des banques et contre les faillites frauduleuses[74]. »

De Baltimore, nous passons à Washington, petite capitale somnolente, peuplée de fonctionnaires, de politiciens et de diplomates. Inutile de dire que la visite d'une « comtesse de Paris » ne saurait passer inaperçue. Les membres de la Chambre se bousculent pour venir la voir, le ministre d'Espagne la prend en charge et la présente au grand monde, dont le président lui-même, M. Martin Van Buren :

« Un fort beau vieillard aux cheveux poudrés et frisés à la neige, au visage vermeil, au regard fin et plein d'astuce, à la physionomie douce, gracieuse et tant soit peu jésuitique. Ses manières sont excellentes, et ce fils d'un laboureur pourrait très bien passer pour un fils de bonne famille (*sic*!). Dans l'effusion de sa cordialité hospitalière, il m'a si fortement pressé la main et secoué le poignet, que c'est à grand'peine si j'ai pu retenir une exclamation de douleur[75]. »

3

Retour à La Havane

Le *Christophe-Colomb* nous attend, superbe et frémissant, dans le port de New York. Le 25 mai 1840, nous montons à bord de l'élégant voilier, en route enfin pour La Havane, objectif de ce voyage, dont les États-Unis n'étaient qu'une escale obligée, un hors-d'œuvre.

Nous préférons infiniment les gracieux navires à voiles aux horribles paquebots dits à vapeur, comme le *Great Western*, cauchemar dantesque qui nous hante encore.

Mercedes souffre du mal de mer... dès qu'on largue les amarres! Mais elle en parle moins, sans doute parce que roulis et tangage sont réduits au minimum, un faible souffle de vent réussissant à peine à gonfler les voiles. Le 27 mai, elle écrit à son amie Mme Delphine de Girardin:

«Il y a huit jours que nous naviguons, et nous n'avons avancé que de vingt milles[76].»

Trop malade pour aller manger avec les autres passagers, Mercedes passe une bonne partie de son temps au grand air, sur le pont. Au moins, elle ne se sent pas à l'agonie comme sur le *Great Western*! Elle fait connaissance avec les autres passagers, raconte des anecdotes, toujours spirituelles et amusantes. Bref, dans sa langueur, elle reste bien vivante, curieuse, et compatissante dès qu'on souffre près d'elle. Sereine, elle ne se plaint plus de rien, sauf des fourmis, qui nous valent cette fière leçon :

« Un de mes plus cruels supplices est la multitude de fourmis qui, comme une lave noire, déborde et s'étend sur tous les meubles, sur tous les murs, sur les vêtements et jusque dans les lits. – Ce fléau me met dans un état d'irritation que je ne saurais vous exprimer ; mais comme dans la vie, pour peu qu'on soit de bonne volonté, tout est enseignement, je me révolte contre moi-même, et après m'être fait honte de ne pas savoir me résigner, j'écarte soigneusement les fourmis qui circulent à flots sur mon lit et sur mes effets ; puis je cherche à m'occuper[77]. »

Enfin, le 6 juin, quelque trois siècles et demi après Christophe Colomb, nous apercevons au loin les rives de Cuba. On imagine le débordement d'allégresse de Mercedes, ses exclamations joyeuses et le déluge de clichés lyriques nécessaires pour exprimer ses émotions :

« Depuis quelques heures, je suis immobile, humant à pleine poitrine l'air embaumé qui m'arrive de cette terre bénie de Dieu… Salut, île charmante et virginale ! Salut, ma belle patrie… Je le sens à ces battements de mon cœur, à ce frémissement de mes entrailles, l'éloignement et les longues années n'ont pas attiédi mon premier amour ! […] Lorsque je respire ce souffle parfumé que tu m'envoies, lorsque je le sens qui effleure doucement mon front, je frémis jusqu'à la moelle, et je crois sentir la tendre étreinte du baiser maternel[78] ! […]

« Encore quelques heures, et nous arrivons ; en attendant, je suis toujours là, humant l'air natal et dans un ravissement presque comparable à celui de l'amour heureux[79]. »

Accrochée au bastingage, au comble de l'exaltation, Mercedes reconnaît les paysages, m'indique du doigt les monuments, les lieux sacrés de son enfance heureuse (ou presque…), dont la petite fille de douze ans avait gardé le souvenir, enfoui dans son cœur comme un trésor. Émue, elle salue le petit port de Santa Cruz, « qui tient son nom de mes ancêtres »… Maria de las Mercedes *Santa Cruz* y Montalvo… Jaruco, autre petite ville, autre souvenir de famille, son père ayant été le troisième comte de Jaruco…

Et voilà, dans toute sa splendeur, le Castillo de la Fuerza, la plus ancienne forteresse de la ville, et, encore plus spectaculaire, la forteresse El Morro. Mais les souvenirs d'enfance sont parfois trompeurs :

« Devant moi, du côté de l'occident, le Morro, planté sur son âpre rocher, s'élève hardiment et s'avance dans la mer. – Mais qu'est donc devenue cette masse énorme qui jadis me semblait menacer le ciel ? Ce rocher colossal que mon imagination élevait à la hauteur du mont Atlas ? – Rien n'a plus la même proportion : au lieu de cette lourde et colossale forteresse, la tour du Morro me paraît seulement élancée, délicate, harmonieuse dans ses contours, une svelte colonne dorique assise sur son rocher. – Mais quel est le jugement de l'homme qui ne s'altère par le cours du temps[80] ! […]

« J'aperçois déjà le balcon de la maison de mon père qui s'allonge en face du château de la Punta ; puis, à côté, un balcon plus petit. – C'était de là que tout enfant, je contemplais le ciel étoilé et resplendissant des tropiques[81]… »

Par-dessus le toit des maisons, s'élancent les clochers de la ville. La comtesse ne semble remarquer que le plus petit, l'humble campanile du couvent de Santa Clara :

«… et au-dessus, je crois voir l'image de la sœur Inès, planant comme un léger nuage, avec son visage pâle et ses grands yeux noirs ! – puis le vieux monstre de Dominga la mulâtresse, avec sa lanterne sourde, m'épiant à travers les cloîtres ! – Et illusions et réalités se mêlent dans ma tête troublée et font battre mon cœur à le briser[82]. »

À l'entrée de la ville, un autre coup porté à ce cœur déjà tout chaviré : la terrasse de la maison de son arrière-grand-mère, la douce Mamita !

« Toute mon âme s'élance vers ces lieux ! Elle pénètre avec un saint respect sous ces murs noircis par le temps, où la main d'un ange prêta son appui à mes premiers pas[83]… »

Sur le quai, un grand nombre de parents, d'amis et de curieux, mais Francisco Javier, le frère jadis tant aimé, est en voyage et brille par son absence. Ils se sont un peu brouillés à cause de l'héritage. Ah ! l'argent ! L'argent qui salit, éclabousse, souille tout ! Chaque jour, je remercie le ciel de n'en point avoir !

4

Chez le cousin O'Farrill

À la mort de Don Joaquin, selon la loi, son fils Francisco Javier devint comte de Jaruco et de Mopox : il hérita de tous les biens et revenus attachés à ces titres de noblesse.

La famille avait d'autres avoirs : Mercedes soutient seulement qu'on aurait dû les diviser entre les trois enfants. Comme Francisco ne veut rien entendre, elle a fait appel aux tribunaux de La Havane… dont elle dit pis que pendre dans une lettre à Pierre Antoine Berryer, avocat de Paris, bientôt chapitre de son livre.

La cause de Mercedes a été défendue par de bons avocats, entre autres par José Ricardo O'Farrill, son cousin et chargé de pouvoir. Francisco avait la loi de son côté et il a gagné la cause. Mais sans doute aurait-il pu avoir un geste à l'endroit d'une sœur ruinée, dont la renommée rejaillit sur sa propre famille. Voué aux valeurs traditionnelles, Francisco blâme le style de vie de Mercedes, dont il ne voit que l'aspect mondain, et lui reproche carrément d'avoir dilapidé sa part d'héritage. « Et bien, dansez maintenant ! »

Il n'y a rien à attendre de ce janséniste en possession tranquille de toutes les vérités… et de la fortune familiale! Et voilà pourquoi nous nous installons dans le palais du cousin de Mercedes, José Ricardo O'Farrill, au 40 de la rue Cuba… à deux pas du couvent de Santa Clara!

Jeune encore, cet avocat ne pratique pas le droit et, comme d'autres grands seigneurs créoles, administre lui-même ses affaires, dont neuf sucreries pourvues de machines à vapeur. En d'autres termes, il est fort riche et mène une vie fastueuse… grâce à la sueur et au sang de ses quelque mille esclaves!

Malgré tout, son nom reste associé à la cause des libertés cubaines. Dans sa maison se réunissent les premiers intellectuels aux idées libérales et progressistes qui, sans encore rêver d'indépendance, préparent l'avenir d'un Cuba libre. Le petit groupe est à la recherche de solutions pacifiques qui, tout en évitant à l'île les affres d'une révolution sanglante, inciteraient l'Espagne à accorder une réelle autonomie à Cuba et à permettre aux Cubains (plus exactement aux créoles à la peau blanche!) de s'administrer eux-mêmes.

L'idée d'indépendance effleure à peine l'esprit de ces précurseurs de la révolution, qu'on ne saurait pour autant accuser de tiédeur patriotique. Mercedes se situe dans la mouvance de son cousin O'Farrill et de ses amis José Antonio Saco et Domingo del Monte, toujours reçus avec chaleur rue de Bondy.

Un des plus importants humanistes cubains de la première moitié du XIXe siècle, Del Monte témoigne souvent de son admiration pour les grands talents musicaux et littéraires de la comtesse et pour sa personnalité hors du commun:

« Una de las hijas de Cuba que mas se distingue entre las damas de Europa por su finura y amabilidad[84]* … »*

Ces brillants intellectuels cubains ont exercé une influence certaine sur les opinions politiques de la comtesse. Mais lequel d'entre eux a eu le courage de dénoncer sans le moindre ménagement le système colonial espagnol qui écrase leur chère patrie, de fustiger les pouvoirs dictatoriaux du gouverneur, l'incroyable incurie des tribunaux, l'absence de tout système d'enseignement public, etc. ?

Quand Mercedes me dicte des lettres sur ces sujets explosifs, lettres bientôt chapitres d'un livre qui devrait faire du bruit, j'éprouve une immense fierté d'être la confidente et l'amie d'une femme plus courageuse que la plupart des hommes de son temps.

* « Une des filles de Cuba qui se distingue le plus parmi les grandes dames d'Europe, pour sa finesse et son amabilité. »

5

Ancienne esclave à La Havane

Je ne suis pas la seule à admirer Mercedes si on en juge par l'exubérance des retrouvailles avec les oncles, tantes, cousins, cousines, amis, même avec les esclaves qui ne l'ont pas oubliée. J'en reconnais bien un ou deux, mais c'est la belle comtesse qu'ils veulent voir, entendre, toucher.

«Ensuite arrivent les nègres et négresses, joyeux, attendris, chacun présentant la liste de ses droits à me regarder, à être reconnu à son tour : l'une m'a élevée, l'autre jouait avec moi, l'autre faisait mes souliers ; celle-ci chantait pour m'endormir ; celle-là dut sa liberté aux soins qu'elle donna à mon enfance. Ensuite arrive mon frère de lait, un grand nègre de six pieds, beau comme sa mère, à la mine douce et tendre. – Enfin, jusqu'à Máma Agueda, la nourrice de ma mère, qui vit encore et traîne à pied ses longues années pendant deux lieues pour venir me baiser les mains et m'appeler sa fille[85] !»

Pitié ! Pitié, chère Mercedes ! Si tu continues sur ce ton, je finirai par croire que l'esclavage n'est peut-être pas une si vilaine chose ! Je me sens plus à l'aise quand elle fustige l'administration coloniale ou qu'elle décrit la vie sociale à bord du *Great Western*!

Elle n'a aucune envie d'aller revoir la vieille plantation de canne à sucre, là où nous nous sommes rencontrées, maintenant propriété de son frère Francisco. Par pure gentillesse, elle offre de m'y conduire avec le *quitrin* prêté par son cousin.

«Absolument pas!

– Mais tu y retrouverais d'anciennes camarades, peut-être des amis…

– Voilà! Je ne veux surtout pas qu'ils me voient, presque grande dame… En *quitrin*! Et qui ne peux rien pour eux! Ça nous ferait trop mal… D'ailleurs, après plus ou moins un demi-siècle de canne à sucre, la plupart sont déjà morts et enterrés dans la "terre bénite".

– Et la tombe de ton fils?

– Sûrement, il n'en reste pas la moindre trace. Et puis, mon fils, il est toujours avec moi, enterré au fond de mon cœur.»

Pauvre Mercedes! Elle a du mal à comprendre mes réactions, souvent aux antipodes des siennes. Depuis notre arrivée à La Havane, tout l'intéresse alors que tout me hérisse et me chagrine. Elle s'amuse sans arrêt, je compte les jours qui nous séparent du départ…

En quittant Cuba la première fois, il y a près de quarante ans, alors que la petite Mercedes déjà si belle à douze ans versait d'abondantes larmes en voyant s'éloigner la forteresse du Morro, je jurais à mes dieux congolais de ne jamais remettre les pieds dans cette île corrompue par l'esclavage. Et m'y voici! Les Blancs appellent ça un parjure, mais nos dieux sont plus subtils: ils comprennent fort bien pourquoi je suis là et ne s'énervent pas pour si peu !

Autour de moi, tout, absolument tout me rappelle l'esclavage et me diminue comme être humain. Même ces bons Nègres de la famille O'Farrill qui nous entourent de leurs soins, ces jeunes Négresses qui lavent et repassent nos robes, ce beau garçon déguisé en écuyer de cirque, un brin ridicule avec son haut-de-forme dont il a l'air vraiment fier, droit planté sur le fringant cheval noir qui conduit Mercedes et moi en *quitrin*, par les plus jolies avenues de la ville… évitant les rues des pauvres !

Même les quelques esclaves affranchis rencontrés au hasard de nos promenades ont encore la tête qui penche, tant il est difficile pour un ancien esclave de se croire libre. Me blesse toujours ce regard bien particulier de l'homme blanc qui parle à un Nègre ; parfois avec bonté, souvent avec un léger mépris, toujours avec une condescendance à peine perceptible, mais qui écrase.

Les Français ont leurs défauts, et je pourrais en dresser un coquet inventaire, mais à Paris, ailleurs en France, j'oublie la couleur de ma peau. À La Havane, elle m'obsède comme une malédiction, une lèpre de l'âme et du corps, comme si ma seule qualité, en ce monde, était d'avoir la peau noire !

Mes sœurs, mes frères, dans ce pays où vous êtes déjà plus nombreux que les Blancs, qu'attendez-vous donc pour briser vos chaînes une fois pour toutes ? Il y a plus de trente-cinq ans, Haïti vous a donné l'exemple. Mais qu'attendez-vous donc ?

Dans l'entourage de la comtesse, chez les aristocrates libéraux et les intellectuels d'avant-garde, peu remettent en question l'esclavage. Les plus audacieux condamnent les excès de la traite, l'horreur des vaisseaux négriers, voire même les tortures inhumaines dont abusent les maîtres blancs pour assurer l'absolue soumission de leur troupeau humain... Mais il n'est pas question de libérer les quelque cinq cent mille esclaves de l'île... « ce qui ruinerait l'économie et nous ferait tomber au niveau d'Haïti ! »

En feuilletant le *Diario de La Habana* pour y lire les échos du séjour de la comtesse et du concert-bénéfice tant attendu, je parcours en frémissant la colonne des annonces, où l'on offre à vendre ou à acheter des porcs, des chevaux, des ânes, des calèches, des outils... et des Nègres ! J'en découpe deux, au hasard, pour les glisser parmi les coupures destinées à Mercedes. On y lit :

« *Ventas : Una negra criolla de 30 años, lavandera, planchadora y cocinera, general para todo el servicio de una casa, coartada en 250 ps, y se daria en 200 libres en acción redhibitoria, y se trata por caballos ó un quitrin por no necesitarlo su dueño : doblando la esquina de Teja para Jesus del Monte, sobre la derecha 1 & cuadra pasando la botica n. 120*.* » (Diario de La Habana, *11 de junio 1840*[86].)

Et dans le même journal, annonce plus laconique encore, sous la rubrique des achats :

---

* « À vendre : négresse créole (née à Cuba) âgée de 30 ans, blanchisseuse, repasseuse et cuisinière, pour tous les services domestiques. Évaluée à 250 pesos, on la laisserait pour 200 pesos (sans possibilité d'action rédhibitoire). À vendre également : des chevaux et un *quitrin* dont le propriétaire n'a plus besoin : tournez le coin de Teja vers Jesus del Monte ; prendre à droite I, un pâté de maisons après la pharmacie au numéro 120. » (*Diario de La Habana*, le 11 juin 1840.)

« *Compras : Se solicitan comprar dos negros que sean excelentes horneros, sanos y sin tachas; en la panaderia de Dioraina*.*» (Diario de La Habana, *11 de junio 1840*[87].)

---

* «Achats : Achèterait deux nègres excellents fourniers, en bonne santé et sans défauts : à la boulangerie de Dioraina.» (*Diario de La Habana,* le 11 juin 1840.)

6

Beaucoup de cochon rôti!

Nos premiers jours à La Havane s'envolent dans une frénésie de visites à l'immense parenté. Par ses grands-mères, Mercedes est reliée à la plus vieille aristocratie cubaine ; une légion de comtes et de marquis veulent recevoir dans leur palais la « reine de Paris », à tout le moins lui rendre visite chez le cousin O'Farrill... qui multiplie réceptions et soirées! Plusieurs Cubains éminents, hier encore si bien reçus rue de Bondy, veulent à leur tour accueillir la comtesse. Nous n'en sortirons jamais!

Pour les Havanais, le passage d'une Cubaine aussi célèbre est un événement majeur. Dans le domaine de la musique et des lettres, elle a une réputation à l'échelle du monde : elle est l'honneur de Cuba dans la capitale de l'esprit!

On ne sait qu'imaginer pour lui rendre hommage, la flatter, lui plaire. Ainsi, on la comble de fêtes champêtres dans les plantations des alentours... avec l'inévitable cochon de lait rôti à la broche! Habituée à la cuisine française, Mercedes doit faire quelque effort pour s'enthousiasmer devant les plats créoles qu'on sert jour après jour à cette Cubaine... venue retrouver les saveurs de son enfance! Elle les retrouve avec plus de joie et moins d'aigreurs d'estomac dans les fruits tropicaux: ananas juteux comme des oranges, goyaves et mangues aux parfums fous, avocats joufflus toute volupté...

Le 8 avril, la famille Peñalver organise une fête grandiose pour la comtesse dans son palais au bord de la mer, avenue de Paula, promenade préférée de l'aristocratie havanaise. Une foule énorme s'entasse devant la maison, pour entendre sinon voir les chanteurs, surtout la comtesse à qui on fait un triomphe. Elle chante le duo de *Norma*, accompagnée de la soprano Anita Osorio, et interprète de façon divine l'aria finale de *Lucia di Lammermoor* de Donizetti, avec les deux meilleures cantatrices cubaines de l'heure. Enfin, un jeune ténor magnifique accompagne la comtesse dans le duo de Roberto Devereux.

Le lendemain de ce concert extraordinaire, on lit dans le *Diario de La Habana*:

« *No se sabe qué admirar mas, si su maravilloso talento musical y el timbre armonioso de su voz, o la viveza de su capacidad intelectual, o el tesoro de su sensibilidad y ternura, que se traduce en las ráfagas brillantes y apasionadas de sus hermosos trozos musicales**. »

Aujourd'hui, grande émotion: Mercedes rencontre enfin son frère Francisco Javier, absent de La Havane

---

* « On ne sait qu'admirer le plus: son merveilleux talent musical, ou le timbre harmonieux de sa voix, sa vivacité intellectuelle ou le trésor de sa sensibilité et de sa tendresse, qui s'expriment dans les rafales brillantes et passionnées de ses superbes pièces musicales. »

depuis notre arrivée. Est-ce une réconciliation ? Je n'en suis pas sûre, mais sa fille pourra le croire en lisant ces lignes de la dernière lettre de sa mère :

« Mon frère est arrivé. – Je l'ai vu et ne saurais te dire ma joie ! Mon frère est, tu le sais, tout ce qui me reste de mon père et de ma mère[88] ! »

7

Le grand massacre des Indiens

Dans ses interminables lettres – j'en ai des crampes dans la main ! – Mercedes ne se contente plus de livrer ses impressions personnelles sur la société cubaine de 1840 : elle nous raconte, à sa manière, c'est-à-dire avec passion, l'histoire de Cuba. Acharnée, admirable, elle a fouillé les chroniques anciennes et lu tous les livres d'histoire.

Elle mentionne à peine le nom de Christophe Colomb, qui « appartient à l'histoire du monde », mais se concentre sur Diego Velázquez, « le vrai fondateur de la civilisation espagnole de Cuba », qui faisait partie de la dernière expédition de Colomb en route pour Haïti... Le gouverneur de cette île, Diego Colomb, frère de l'autre, désigne Velázquez pour aller coloniser l'île de Cuba, alors peuplée d'autochtones appelés « Indiens » par l'ineffable Christophe : le grand homme ne savait même pas où il était ! Il écrit : « Ils vont nus. Ils sont paisibles et craintifs... sans armes et sans lois[89]. »

En d'autres termes, ces deux cent mille « Indiens » ne peuvent offrir aucune résistance devant les implacables conquistadores de Velázquez, qui finiront par les annihiler. En 1532, il en restait à peine cinq mille ! Aujourd'hui, ils ont à toutes fins utiles disparu de l'île de Cuba. *Requiescant in pace* !

La ferveur patriotique avec laquelle elle nous décrit l'œuvre de Velázquez n'empêche pas Mercedes de blâmer son odieuse conduite à l'égard des Indiens et, en particulier, du chef Hatuey, farouchement opposé au débarquement des Espagnols. Comme elle a dû souffrir en nous narrant cette anecdote, d'ailleurs bien connue des esclaves qui se la racontent le soir dans les plantations. Et Dieu sait que la mort atroce d'Hatuey ne fut qu'un épisode de l'abominable chronique de la cruauté des conquistadores qui ensanglantèrent l'Amérique, du Mexique jusqu'au Pérou. Courage, chère Mercedes, pince ton joli nez et raconte-nous :

« Lorsque Hatuey et les siens aperçurent les voiles espagnoles, ils commencèrent par jeter dans la mer tous les métaux précieux qu'ils trouvèrent, regardant la possession de l'or et de l'argent comme le but unique de l'ambition et de l'avidité espagnoles : ils se trompaient. Les Indiens furent poursuivis dans les montagnes et dans les bois par les troupes de Velázquez, qui finirent par s'emparer du cacique. Voici la tache la plus odieuse de cette vie d'entreprises et de courage : Velázquez fit brûler vif Hatuey. Sa mort, telle que la rapporte Herrera, fut spirituelle autant qu'héroïque. On l'avait lié au poteau fatal ; les flammes l'entouraient ; un missionnaire, espérant le convertir au christianisme, lui parla des délices du paradis. "Dans le paradis, s'écria le mourant, y a-t-il des Espagnols ? – Quelques-uns, répondit le missionnaire. – Je ne veux pas y aller ; qu'on me brûle[90] !" »

Le sang d'Hatuey est une souillure ineffaçable qui condamne à jamais Velázquez devant l'histoire. Mercedes le sent bien, elle ne peut le défendre mais s'empresse d'ajouter que le conquistador était «l'ami intime» du célèbre Bartolomé de Las Casas, courageux prêtre qui se porta à la défense des Indiens. Mais Velázquez avait aussi un secrétaire qui devait un jour rivaliser avec son maître en courage et en cruauté : Fernand Cortez !

Avant de les occire, les colons espagnols de Cuba ont bien essayé d'utiliser les Indiens dans leurs entreprises agricoles. Par la persuasion, surtout par la force. Les populations indiennes résistaient avec l'énergie des désespérés. Refusant d'aller au ciel s'il y avait des Espagnols, encore moins voulaient-ils travailler dans leurs champs comme esclaves :

«Ils fuyaient dans les bois, préférant la vie sauvage et même la mort à cette existence inconnue dont ils subissaient les labeurs sans en partager ou sans en comprendre les bénéfices. Le rude guerrier Panfilo Narvaez battait inutilement le pays : les indigènes allaient mourir dans des retraites inaccessibles. Irrités de cette passive résistance, les colons devinrent cruels et employèrent la force pour contraindre les Indiens à travailler. Vains efforts ! Cette oisiveté du désespoir amena une disette épouvantable[91].»

Pour sauver l'agriculture agonisante, il fallait à tout prix trouver des travailleurs et, puisque les Indiens s'obstinaient, la solution ne pouvait venir que de l'Afrique, bien entendu, dont les esclaves seraient, paraît-il, «plus dociles et plus résistants au labeur». Dès l'année 1520, Velázquez ouvre les portes de Cuba aux premiers esclaves noirs. Et on lui a élevé des statues !

Ces esclaves exemplaires ne tardèrent pas à devenir les piliers de l'économie cubaine. À la fin du XVIIIe siècle, au moment de la naissance de Mercedes, Cuba compte cinquante mille esclaves noirs. Aujourd'hui, en 1840, plus de la moitié de la population cubaine (évaluée à près de neuf cent mille habitants) est composée d'esclaves.

8

Sujet tabou : l'esclavage

À La Havane, à Paris et ailleurs, on veut savoir ce que pense la comtesse de l'esclavage, grand sujet de discussion dans toutes les chancelleries du monde, mais aussi dans les palais des riches et les chaumières des pauvres. Qu'en dit la courageuse Mercedes, éprise de liberté, lectrice passionnée de Jean-Jacques Rousseau ?

Avec d'infinies précautions, elle s'exécute enfin dans une longue lettre adressée à son ami le baron Charles Dupin, partisan avoué de l'abolition de l'esclavage.

D'entrée de jeu, la comtesse exprime son ambivalence :

« Rien n'est plus juste que l'abolition de la traite des noirs ; rien de plus injuste que l'émancipation des esclaves. Si la traite est un abus révoltant de la force, un attentat contre le droit naturel, l'émancipation serait une violation de la propriété, des droits acquis et consacrés par les lois, une vraie spoliation. Quel gouvernement assez riche indemniserait tant de propriétaires qui seraient ainsi dépouillés d'un bien légitimement acquis ? L'achat des esclaves dans nos colonies n'a pas seulement été autorisé, il a été encouragé par le gouvernement, qui en a donné l'exemple en faisant venir les premiers nègres pour le travail des mines[92].»

Pendant toute son enfance, Mercedes a vécu au milieu des esclaves en parfaite harmonie, elle les a vus travailler sur les terres immenses de son père, le comte de Jaruco, sans doute un bon maître... toujours absent! L'émancipation des esclaves l'aurait ruiné du jour au lendemain. Anéantie la fortune des Jaruco, celles des O'Farrill, des Montalvo et autres Santa Cruz!

La situation présente gêne la comtesse, mais son brusque renversement lui paraît une injustice. Selon elle, les Africains importés en Amérique par les diverses puissances coloniales ont connu un meilleur sort que s'ils étaient restés prisonniers d'une tribu adverse:

«Lorsqu'une tribu faisait des prisonniers sur une tribu ennemie, si elle était anthropophage, elle mangeait ses captifs; si elle ne l'était pas, elle les immolait à ses dieux ou à sa haine. La naissance de la traite détermina un changement dans cette horrible coutume: les captifs furent vendus. Depuis cette époque, le commerce des esclaves ayant toujours augmenté, et l'amour du gain s'étant développé proportionnellement chez ces barbares, les rois ou chefs de tribus ont fini par vendre leurs propres esclaves aux marchands européens. Le changement de maîtres était un bienfait pour ces captifs[93].»

Et la loi de l'offre et de la demande? Si la demande de l'Amérique avait été moins forte, sans doute les tribus guerrières auraient-elles eu moins de raisons de multiplier les captures. Et que dire du nombre incalculable d'esclaves morts en cours de route, jetés aux requins?

Pendant des pages et des pages, Mercedes tente de convaincre le baron Dupin – et le reste du monde! – que les esclaves de Cuba sont plus heureux qu'ils ne seraient étant libres. Un argument n'attend pas l'autre, les anecdotes se bousculent, touchantes, larmoyantes, naïves, pas très convaincantes :

« Je citerai un autre fait qui prouve à la fois l'élévation et la délicatesse d'âme d'un esclave. Le comte de Gibacoa possédait un nègre qui, voulant s'affranchir, demanda à son maître le prix auquel il l'imposait. "Aucun, lui répondit son maître ; tu es libre." Le nègre ne répondit rien, mais il regarda son maître. Une larme brilla dans ses yeux, puis il partit. Au bout de quelques heures, il rentra accompagné d'un superbe nègre *bozal** qu'il avait acheté au *barracón* avec l'argent qu'il destinait à son propre affranchissement. "*Mi amo*, dit-il au comte, auparavant vous aviez un esclave, maintenant vous en avez deux[94] !" »

Cette fois Mercedes charrie ! J'ai pourtant promis de ne jamais discuter de ce sujet maudit avec elle, mais elle exagère et je l'interromps sèchement, brutalement presque :

« À moi, comtesse, deux mots !

– Ah ! l'affaire est grave…, dit Mercedes dans un demi-sourire.

– Vous savez fort bien que ces histoires à dormir debout…

– Le comte de Gibacoa lui-même a raconté cette anecdote à Mamita.

– Tout est possible ! Il y a des Nègres un peu fous comme il y a des Blancs complètement détraqués. Mais

* Esclave noir né en Afrique, ne parlant pas l'espagnol.

j'aimerais bien vous proposer quelques petites anecdotes moins amusantes mais rigoureusement authentiques, j'en témoigne. J'ai vu des esclaves battus à mort par leur *mayoral*, des fuyards rattrapés par des chiens féroces dressés à haïr les Nègres, à les mordre au sang, pour l'exemple, des enfants fouettés, violés, arrachés à leur mère pour être vendus séparément... Mais tout cela risquerait de choquer un homme aussi bien élevé que votre cher baron Dupin!»

Au cours de ces furieuses envolées, je vouvoie Mercedes, je la «comtesse»... mais je n'attends pas de réponse. Il a été convenu depuis longtemps que nous éviterions de discuter certains rares sujets, dont l'esclavage.

Après un long moment de silence, je plonge ma plume dans l'encrier et j'attends... C'est le moment de conclure et je sens que Mercedes cherche ses mots, hésite... et se contente de poser une question :

«Le bien-être matériel dont les esclaves jouissent à Cuba (*ouille!*), la protection que les lois leur accordent, ne sont-ils pas préférables, pour eux, aux chances d'une vie vagabonde et misérable?

«Éclairez-moi, Monsieur le baron[95]!» réclame humblement Mercedes au baron Charles Dupin, ancien ministre de la Marine, abolitionniste sincère.

J'ose croire que les arguments simplistes de la comtesse n'auront pas ébranlé ses convictions!

9

Une administration arriérée et barbare

Hors le sujet de l'esclavage, tabou entre tous, Mercedes me demande souvent mon avis, entre autres sur la structure de son prochain livre, *La Havane*, qui touche à de plus en plus de domaines... dont elle ignore tout! Elle se documente, c'est entendu, mais ces masses de chiffres sur la production du sucre, ces généralités sur la situation économique de Cuba n'ajoutent pas grand-chose au récit de voyage agréablement personnel que le monde attend d'elle.

Ici encore, je ne réussis pas à la convaincre: elle continue à rêver d'un gros livre qui dira tout sur sa chère île de Cuba, dont on ne sait rien en Europe, il est vrai, hors l'ouvrage du baron Alexandre von Humboldt. Hélas! Les destinataires de ses lettres, soucieux de ne pas déplaire à cette femme sensible, la félicitent et l'encouragent, par exemple Pierre Antoine Berryer, grand avocat, à qui Mercedes destine sa lettre sur le système judiciaire de Cuba. Elle n'y va pas de main morte! Et comme elle a raison, cette fois!

«L'administration de l'injustice remplace ici l'administration de la justice. Jamais conte de fées n'a égalé en singularités comiques et en inventions extravagantes le chaos des lois, le dédale des tribunaux, le désordre des codes, l'anarchie des juridictions et le bataillon confus des vautours de la loi, qui se disputent les lambeaux des fortunes assez malheureuses pour tomber dans leurs griffes insatiables et légales[96]. »

Pamphlétaire sans peur et sans pitié, c'est ainsi que j'aime ma Mercedes! Elle voit juste; avant toute chose assainir le système judiciaire:

« Que l'on ne parle point de réforme politique, d'indépendance nationale, non pas même d'industrie, d'agriculture, de chemins de fer et de tout ce qui fait la prospérité matérielle des nations civilisées. Avant qu'il y ait pour l'île de Cuba une justice avec une sage réforme, tout perfectionnement est impossible: sans elle, aucune amélioration ne porterait ses fruits[97]. »

En ce monde dominé, écrasé par les hommes, combien de femmes d'aujourd'hui parlent sur ce ton? On veut bien qu'elles écrivent de jolies choses, de préférence en vers alexandrins, mais qu'elles ne se mêlent surtout pas de critiquer les autorités, c'est-à-dire les hommes!

Frémissante d'indignation, Mercedes devient implacable:

« À Cuba, il n'y a pas de tribunaux, il n'y a pas de codes, il n'y a pas d'avocats[98]! » Hop là!

Avec force, la comtesse réclame des réformes élémentaires, sans lesquelles il n'y a plus de paix possible pour son pays qui pourrait connaître une révolte des esclaves, voire même des créoles, ou succomber à la séduction de la grande démocratie américaine, située à moins de quarante lieues de ses côtes:

« Il ne faut pas qu'aux yeux de l'Europe la gestion coloniale de l'Espagne et son administration lointaine apparaissent plus longtemps sous cette forme arriérée et barbare. Le temps est venu et les circonstances pressent : l'Angleterre est là qui guette sa proie ; l'Amérique septentrionale, avide de commerce, nous regarde d'un œil d'envie, et se trouve prête à faciliter notre ruine[99]. »

Mercedes ne savait si bien dire !

À travers sa lettre à Mᵉ Berryer, elle s'efforce de convaincre la cour d'Espagne des bons sentiments des Cubains à l'égard de la mère patrie, et de l'iniquité du régime colonial :

« Le gouvernement de l'île de Cuba se réduit à un pur despotisme militaire concentré sur la tête d'un seul homme, sans contrôle, sans responsabilité, sans surveillance. Souvent ce chef a été homme honnête, homme capable ; mais sa toute-puissance est inévitablement contraire à l'intérêt de la colonie qu'il régit. Il faut, pour qu'il conserve un pouvoir illimité, qu'il la représente dangereuse et toujours prête à prendre son vol vers l'indépendance. Le capitaine-général tient tout sous sa main ; toutes les autorités lui sont soumises ; tout tremble devant lui ; le sort de chacun dépend de sa volonté ou de son caprice ; il peut emprisonner, déporter, condamner à son gré et sans jugement préalable ; et la presse, enchaînée, dort d'un sommeil profond[100]. »

Mercedes rappelle alors les erreurs de l'Angleterre à l'endroit de ses colonies d'Amérique du Nord qui, selon elle, ne se seraient jamais battues contre la mère patrie si le régime colonial avait été plus libéral :

« Il est curieux de lire », écrit cette femme qui a tout lu sur cette époque, « dans la correspondance de Franklin, de Washington et du gouverneur Morris, combien les Anglo-Américains étaient éloignés de vouloir se révolter, combien ils étaient fiers du titre d'Anglais, et quelle faible concession eût suffi pour conserver à l'Angleterre cette possession magnifique. Aujourd'hui, même les Anglais ne gardent le Canada, malgré les souvenirs français, qu'à force de prudence politique et de concessions sages. Là, du moins, ces concessions pourraient sembler périlleuses en face des Américains du Nord et au milieu d'une population hostile à leur métropole; cependant, telle est la puissance d'une politique habile, d'accord avec la situation et se servant du flot qui la porte, que le vieux Canada français est encore* une colonie britannique[101] !»

Mercedes s'est toujours proclamée cubaine et créole, alors comment peut-elle croire que de simples réformes administratives suffiraient à éloigner à jamais l'idée d'indépendance qui, pourtant, a déjà balayé toutes les grandes colonies espagnoles des Amériques, sauf Cuba et Porto Rico?

Les circonstances particulières de sa vie l'empêchent de percevoir les velléités d'indépendance chez les bourgeois des villes et les paysans, même chez certains aristocrates éclairés... sans parler de la grande soif de liberté qui tourmente la moitié de la population de l'île, c'est-à-dire les esclaves. Pour elle, le spectacle de l'émancipation de presque toutes les possessions espagnoles, depuis le Mexique jusqu'au Pérou, «est assez triste et sanglant pour ne nous donner aucun plaisir à l'imiter[102]».

* En 1840.

Avec nos excuses à Bolívar, San Martín, Sucre et les autres… Ouf! Voilà qui ne m'aidera guère à digérer les haricots noirs et le cochon rôti à la broche, encore au menu du dîner!

10

Du tabac et des femmes

Mercedes met les bouchées doubles et profite de tous les moments libres pour avancer son ouvrage. Ce matin, elle se prépare à me dicter une lettre à son amie George Sand, consacrée à la situation de la femme à Cuba… Disons de certaines femmes : les aristocrates ! Elle ignore à peu près tout des *guajiras*, les femmes des paysans blancs, qui triment dur, et, dans les villes, des femmes des artisans, ouvriers, petits fonctionnaires. Ne parlons même pas des centaines de milliers de femmes esclaves qui vieillissent prématurément dans les plantations, travaillant dix heures par jour, même enceintes ou avec un enfant au sein. George Sand aurait sans doute aimé apprendre, par exemple, qu'on garde des Négresses jeunes et en santé dans des baraques destinées à l'élevage d'esclaves, sur le modèle de l'élevage des veaux !

Je prends une grande respiration, je trempe ma plume dans l'encre et j'écris :

«À George Sand… à vous qui comprenez si bien mon sexe et dont la plume éloquente a si souvent intéressé les âmes généreuses aux souffrances des femmes dans les sociétés civilisées[103].»

En lisant les portraits de ces Havanaises toutes belles et langoureuses, qui ne lèvent le doigt que pour appeler un esclave, l'auteur d'*Indiana* a dû se demander de quel monde irréel et invraisemblable elles pouvaient bien sortir. Durant toute la journée, elles bougent le moins possible, si ce n'est pour se glisser dans une baignoire ou saisir une grappe de raisins dans le panier tendu par l'esclave.

«Ses mouvements, empreints d'une certaine langueur voluptueuse, sa démarche lente et paresseuse, sa parole douce et cadencée, contrastent parfois avec la vivacité de sa physionomie et avec les jets de feu qui s'échappent de ses yeux noirs, longs, et dont le regard n'a point son pareil. Elle ne voit jamais le soleil que lorsqu'elle voyage. Elle ne sort qu'à la nuit tombante, et jamais à pied. Outre l'inconvénient de la chaleur, la fierté aristocratique lui défend de se mêler au monde des rues[104].»

Bref, la Havanaise de l'aristocratie, la seule que Mercedes connaisse, n'est pas tout à fait mûre pour la *revolución*!

Le seul trait qui s'applique à toutes les Cubaines, esclaves comprises : leur passion pour la danse.

«Par un contraste facile à expliquer, les Havanaises aiment la danse avec fureur ; elles passent des nuits entières sur pied, agitées, tournoyantes, folles et ruisselantes, jusqu'à ce qu'elles tombent anéanties[105].»

Vrai, même dans les plantations où les esclaves, après l'interminable et dure journée de labeur, dansent au son des tam-tam, parfois du samedi soir au dimanche matin, jusqu'à la messe : les rares bons souvenirs de mes années d'esclavage chez le père de Mercedes…

« Une Havanaise, écrit la comtesse à George Sand, ne se sert de bas de soie et ne les porte que neufs ; en les ôtant, elle les jette[106]. »

De cela, je ne puis juger. J'ai mis des bas pour la première fois de ma vie en arrivant à Madrid, à l'âge de vingt ans, plus ou moins !

On imagine sans peine que la femme havanaise de la bonne société, ayant connu une vie aussi facile, ne devienne pas du jour au lendemain une grande éducatrice pour ses enfants :

« L'extrême jeunesse des mères et le développement précoce de l'enfance nuisent extrêmement à la première éducation. L'enfant prend d'abord sa mère pour sa camarade, et la nonchalance créole prive celle-ci de l'énergie indispensable pour reprendre ses droits et sa gravité de mère. En face de la faiblesse maternelle, l'enfant devient volontaire et impérieux[107]… »

Sûrement, Mercedes ne peut l'oublier : elle est née d'une mère de quatorze ans, qui l'a aussitôt abandonnée à sa bisaïeule pour aller voyager en Europe avec son jeune mari de dix-huit ans… Avoir vécu ses douze premières années sans connaître sa mère l'a profondément marquée. Un jour, dans un moment de nostalgie, elle a laissé échapper ces mots lourds de sens : « Je n'ai pas eu d'enfance ! »

Les lettres se suivent et ne se ressemblent pas. Après la femme dans la société cubaine, disons plutôt la femme cubaine de la haute société, nous passons ce matin à un sujet moins fondamental : le tabac ! À un autre de ses amis parisiens, le vicomte Siméon, directeur général des Tabacs de France, Mercedes écrit une lettre d'une vingtaine de pages consacrée à cette herbe « magique » découverte par Christophe Colomb en même temps que Cuba... et les Indes !

« Il a fallu seulement trois cents ans pour que cette habitude des Indiens de Cuba devienne une nécessité pour les habitants du globe[108]...» et une calamité !

Mercedes rappelle que, dans plusieurs milieux, le tabac doit essuyer de virulentes attaques :

« Ce fut un véritable schisme ; et si les propositions de Calvin et de Luther enflammèrent les cerveaux des théologiens et bouleversèrent l'Europe, le tabac mit le feu aux quatre coins du monde[109]. »

En vérité, le tabac est dénoncé par les évêques et les rois, les fumeurs parfois même traduits devant les tribunaux. Mercedes nous cite des extraits d'un curieux livre du roi Jacques Ier d'Angleterre, « le persécuteur le plus acharné du tabac, et sa haine pour cette plante aurait équivalu à une défense chez une nation moins indépendante que la nation anglaise[110] ».

Le roi n'y va pas de main morte :

« Et quant au désordre qu'on commet avec cette dégoûtante habitude, n'est-ce pas une saleté oisive, que de s'y livrer à table, lieu de respect, de propreté et de modestie. Les hommes ne rougissent-ils pas de se lancer à travers la table la fumée de leurs pipes, mêlant cet air empoisonné avec le parfum des mets, et causant du dégoût à ceux qui détestent cet usage[111] ? »

Mais Mercedes, on le devine, se range du côté du tabac, tant elle est sensible à tout ce qui peut aider au développement économique de son cher pays... producteur des meilleurs cigares au monde !

Elle termine sur le ton plaisant la lettre à son vicomte, sans doute amateur de havanes. Elle lui révèle que, dans une famille de planteurs de tabac, il revient toujours aux filles et aux femmes de la maison de rouler les cigares :

« Et lorsque vous cheminez à pas lents, aspirant avec délice un de ces certains cigares de la *Reina* que vous connaissez si bien, savourant en vrai gourmet son parfum et admirant son aptitude à prendre feu et à le conserver, sachez-le, et ne vous étonnez plus de rien, ce cigare ardent et moelleux à la fois a été... vous le dirai-je ?... mais oui, un historien doit tout dire, il a été, comme tous ceux que vous fumez, roulé, oui, roulé sur la cuisse non voilée d'une de nos filles de campagne, appelée *guajira*[112]. »

11

L'ignorance au service du colonialisme

Mercedes destine au duc Decazes, éminent homme politique français, la lettre sur un sujet qui la touche viscéralement : l'incommensurable ignorance de la population de l'île de Cuba :

« Quelles imperfections, s'écrie-t-elle, quelles lacunes, ou plutôt quel néant dans l'organisation de notre instruction publique, dans les tendances de notre éducation privée[113] ! [...]

« De peur que les Cubains ne se révoltent contre l'Espagne, à l'instar des grandes colonies d'Amérique, on leur refuse tous les moyens pouvant contribuer à leur émancipation. Un système judiciaire moderne pour faire contrepoids à la dictature exercée par le représentant du roi, une forme d'autonomie permettant aux élites locales de se prendre en mains et surtout, l'instruction publique qui, partout dans le monde, a été le plus dangereux ennemi du colonialisme[114]. »

En ces matières, Mercedes voit juste ; elle dénonce sans ménagement les manœuvres du gouvernement espagnol et, surtout, de son représentant à La Havane, comme en fait foi cette anecdote :

«À la mort de Ferdinand VII, lorsque l'Espagne aristocratique essayait d'imiter la culture et la civilisation de la France et de l'Angleterre, quelques Havanais, profitant du mouvement donné par la mère patrie, obtinrent la permission de former une académie littéraire, titre peut-être assez mal choisi, mais qui, enfin, contenait un avenir et un espoir d'amélioration intellectuelle. Mais, à peine la permission accordée, le capitaine-général vit dans cette institution un germe de réforme politique et un foyer dangereux. On commença par la suspendre ; quelques mois après elle fut dissoute[115].»

Comme les riches Havanais eux-mêmes n'ont pas le droit de mettre sur pied des institutions pour y instruire leurs enfants (pas même les garçons !), ils se résignent à envoyer leurs fils étudier à l'étranger.

«Dès qu'on le sut à Madrid, un ordre royal vint enjoindre aux habitants de Cuba de faire revenir, dans le plus bref délai, tous les jeunes gens qui recevaient leur éducation à l'étranger, avec défense de recourir jamais à de pareils moyens[116].»

Quelque temps après cet ordre royal, un Espagnol, ami du dictateur Vives, lui arrache l'autorisation de fonder un collège privé, uniquement fréquenté par les fils des riches aristocrates. Ce qui provoque ce commentaire de Mercedes :

«Si les fils de riches n'obtenaient qu'à grand'peine l'instruction nécessaire, comment les fils des pauvres l'auraient-ils obtenue ou acquise, sans une école fondée par le gouvernement, sans un instituteur payé par les deniers publics[117] ?»

Mercedes cite alors quelques chiffres tirés d'un « document » dont elle ne mentionne ni la source ni les auteurs :

« En 1836, soit peu d'années avant notre voyage, environ neuf mille enfants avaient accès à l'école sur une population de plus de quatre cent mille Cubains libres, blancs ou de couleur. (*Elle ne compte même pas les esclaves noirs déjà plus nombreux !*) On sera effrayé de la profonde ignorance dans laquelle languit sans secours supérieurs la population de notre île[118]. »

Dans son enfance havanaise, Mercedes elle-même a subi les effets du manque d'instruction publique ou privée. À l'âge de douze ans, quand elle va enfin rejoindre sa mère à Madrid, celle-ci est consternée par le degré d'ignorance de sa fille… qui sait à peine lire et écrire ! Sans maître comme sans école, j'aime bien le rappeler, moi, la petite esclave Cangis, en avais appris tellement plus que j'enseignais l'espagnol et le français à la très ignorante fille de la comtesse de Jaruco !

12

Bartolomé de Las Casas

La très longue lettre consacrée à l'impressionnant Bartolomé de Las Casas, Mercedes l'adresse à l'écrivain catholique le plus prestigieux de l'heure, le vicomte François René de Chateaubriand, selon elle le «grand peintre des vertus chrétiennes».

Les trente-cinq ans de vie active de Las Casas, au cours desquels il est en butte aux calomnies, aux rebuffades et au mépris des conquérants espagnols du Nouveau Monde, se situent entre 1511 et 1566. Une fois de plus, Mercedes puise ses renseignements dans les chroniques de l'époque et dans les écrits de Las Casas lui-même, afin de jeter «quelques nouvelles lueurs sur les vertus sublimes de ce saint homme, exciter votre intérêt, monsieur le vicomte. Je les transcrirai avec une extrême simplicité, et souvent en employant les paroles mêmes des textes originaux[119]».

On apprend d'abord que le sang français coulait dans les veines de Las Casas, dont le père, nommé Casaux, était un Provençal établi à Séville. Puis, Mercedes raconte un incident qui a sans doute marqué le jeune Barthélemy Casaux:

«Le Nouveau-Monde venait d'être découvert et déjà les conquérants vendaient comme esclaves les prisonniers qu'ils avaient faits. Barthélemy Casaux (en espagnol Bartolomé de Las Casas) était encore étudiant lorsque son père lui fit cadeau d'un Indien, et l'attacha particulièrement à son service. Il se sépara de lui avec beaucoup de peine lorsque la reine Isabelle ordonna le renvoi en Amérique de tous les Mexicains et Péruviens. Peut-être ce souvenir, qui s'était gravé profondément dans l'âme tendre de Las Casas, éveilla-t-il cette pitié sympathique qui le porta à consacrer sa vie tout entière à la défense des malheureux Indiens. On entendait alors retentir dans le Nouveau-Monde ce cri terrible, le mot d'ordre de l'histoire: *Mort aux vaincus*[120]!»

Âgé d'à peine vingt ans, Las Casas part pour Haïti où il se fait ordonner prêtre. Peu après, Velázquez, gouverneur de Cuba, toute nouvelle colonie espagnole, entend parler de ce jeune prêtre «si ardent et si doux» et le mande auprès de lui.

À Cuba, Las Casas constate avec stupeur que les Indiens y sont traqués comme des bêtes, pourchassés, battus, égorgés. Ils fuient droit devant eux, vers la forêt sans pitié, vers la mer où souvent ils se noient. Quand il le peut, Las Casas court les chercher, leur donne des aliments et les ramène dans leurs cabanes, au grand dam des maîtres espagnols qui craignent les Indiens à cause de leur nombre.

Très certainement, si ces peuples n'avaient été si doux, s'ils avaient possédé une parcelle de la cruauté des Espagnols, ils auraient vite rejeté leurs conquérants à la mer. Et l'on peut dire de même de mes frères d'Afrique...

Mercedes rapporte ce triste récit, tiré des chroniques de l'époque :

« Un jour, dans la province de Camagüey, les deux cents Espagnols de Narvaez (un lieutenant de Velázquez) s'étaient arrêtés au bord d'une rivière. Plus de deux mille Indiens sortirent des forêts, et leur apportèrent des fleurs et des fruits. Ils s'assirent ensuite, accroupis selon leur coutume, et se mirent à contempler paisiblement ces hommes étranges et les chevaux, ces animaux inconnus au Nouveau-Monde. Le fleuve roulait ses ondes sur des blocs de pierres à aiguiser. Les Espagnols, à la vue des pauvres sauvages, se lèvent, courent à la rivière et se mettent à aiguiser leurs armes pendant que Narvaez, à cheval, les regarde faire, et que Las Casas distribue les rations. Tout à coup, un cri terrible s'élève ; les épées espagnoles brillent à la fois, et les malheureux Indiens tombent égorgés.

« Las Casas court çà et là pour en sauver quelques-uns, et Narvaez, tranquillement, froidement, reste à contempler cette scène, que sans doute il avait préparée. "Ah ! dit Las Casas, elle s'est gravée si profondément dans mon cœur, qu'après cinquante ans il saigne encore[121]." »

Non seulement Las Casas défend la vie des Indiens, mais aussi leurs droits comme êtres humains, premiers occupants de ces lieux.

Un jour, il se rappelle avoir accepté de Velázquez des terres… exploitées par des esclaves indiens. Aïe ! Un dimanche de 1514, en préparant son sermon, Las Casas voit la lumière, renonce à ses esclaves et encourage les colons à imiter son geste :

« Vous qui faites travailler des esclaves pour vous exempter de travailler, leur lance-t-il du haut de la chaire, vous êtes en péché mortel. Pour moi, j'abjure cette richesse sanglante. Repentez-vous ; demandez pardon à Dieu, et n'opprimez plus ces pauvres infortunés[122] !»

Comme on l'imagine, Bartolomé de Las Casas n'est pas entendu à Cuba ; il retourne en Espagne dans l'espoir de gagner le roi à la cause des Indiens.

Après de laborieuses négociations, il est nommé par la cour «Protecteur des Indiens», charge nouvelle qui ne paraît guère impressionner les populations, voire les autorités espagnoles de Saint-Domingue, où il arrive en 1517. Sa vie est constamment menacée et les foules exaspérées le poursuivent dans la rue comme un malfaiteur.

Toujours dans le but de protéger les Indiens ayant survécu au travail forcé et aux massacres, Las Casas supplie le roi d'Espagne d'envoyer dans les colonies d'Amérique le plus grand nombre possible de colons blancs... et d'esclaves noirs d'Afrique ! Voilà ! Ce «saint homme» choisit ses malheureux, il a ses préférences...

Dans un mémoire, Las Casas précise sa pensée :

«La race américaine étant faible, succomberait en peu de temps au travail des mines et du sucre ; *que les noirs supporteraient beaucoup mieux les fatigues, et qu'il fallait laisser aux colons la liberté d'avoir des esclaves nègres*[123].»

Au secours ! Qu'on m'explique comment un homme de la qualité de Las Casas, un prêtre sûrement sincère dans sa courageuse défense des Indiens, peut témoigner d'un tel manque de compassion à l'endroit d'autres êtres humains. Et pourquoi la comtesse ne s'en offusque-t-elle pas ? Pour les deux, peut-être, même à trois cents ans d'intervalle, le Nègre est tout de même un peu moins homme que l'Indien… et il supporte mieux le travail dans les mines et les champs de canne à sucre !

« Plus tard, me dicte tranquillement Mercedes, quand il vit que la cupidité abusait des nègres comme elle avait abusé des Indiens, il écrivit dans son histoire (livre III, chapitre CI) : "qu'il se repentait d'avoir conseillé cet équivalent dangereux ; car, ajoutait-il expressément, les mêmes arguments seront pour les nègres comme pour les Indiens[124]". »

Enfin ! Tout de même ! Mais on reprochera toujours à Las Casas d'avoir reconnu cette évidence un peu tard, donnant ainsi bonne conscience aux esclavagistes, vite convaincus que les Nègres, en effet, « résistaient » mieux à l'esclavage que les Indiens.

Le « Protecteur des Indiens » les a défendus jusqu'à sa mort, il a fait changer des lois, il a pacifié des provinces entières, il a été évêque de Chiapas. Et dans une ultime tentative pour vaincre la résistance des grands propriétaires qui persistent à exploiter les Indiens – les rares survivants du massacre ! – Las Casas publie un livre dévastateur, vite célèbre, dans lequel il expose à l'Europe, sans le moindre ménagement, comment les Européens ont anéanti les populations autochtones dans plusieurs pays du Nouveau Monde. Mercedes continue sa dictée :

« *La destrucción de las Indias* (tel est le titre de l'ouvrage) est un des plus épouvantables tableaux que la plume des hommes ait jamais pu tracer, terrible par les détails, sublime par le but. Pas de cruauté qui n'y soit racontée, pas de reproche qui soit épargné aux hommes de fer de la conquête, pas de vérité chrétienne qui ne leur soit dite en face. Et les douces vertus de ces races écrasées recevaient un hommage public et un regret douloureux de la plume même d'un Espagnol[125]. »

Il manquera toujours à la grandeur de Bartolomé de Las Casas de n'avoir pas écrit un autre ouvrage, qui s'imposait tout autant : *La destrucción de los negros.* Comme il manquera aussi à ma chère comtesse de ne pas l'avoir regretté…

13

Adieu à Cuba!

Pendant les derniers jours à La Havane, tôt levée, Mercedes me dicte des lettres jusqu'à onze heures ou midi. Quelle incroyable énergie! Souvent, c'est moi qui crie grâce, la main, les doigts ankylosés…

Le reste de la journée est rempli de visites reçues ou rendues, de réceptions, de fêtes champêtres, de dîners et de bals… qui se terminent (souvent sans nous!) avec le lever du soleil.

Partout, on invite Mercedes à chanter, ce qu'elle fait avec grâce et une qualité dans la voix plutôt rare chez une cantatrice qui a dépassé la cinquantaine.

L'événement attendu par la ville entière: le grand concert public organisé au profit de la Casa de Beneficencia, qui veut offrir de nouveaux services aux femmes affligées de maladies mentales et aux enfants abandonnés.

Toutes les grandes familles de La Havane prêtent leur concours à l'organisation de la soirée-bénéfice présentée le 18 juillet 1840 au Gran Teatro de Tacón, sous le haut patronage du prince d'Anglona, capitaine général de Cuba.

Le clou de la soirée : les airs d'opéra chantés par la comtesse, dont, encore une fois, l'aria finale de *Lucia di Lammermoor*, et le duo de cet opéra, en compagnie de Maria Teresa Peñalver, contralto.

Grand triomphe pour l'artiste Mercedes, enfin appréciée, reconnue, applaudie par ses compatriotes, dans sa ville natale. Les journaux ne tarissent pas de compliments sur les talents de la cantatrice, mais aussi sur son élégance, son charme, sa beauté. On la congratule au moyen de longs poèmes débordants de superlatifs… et de beaux sentiments !

Enfin, trois jours avant notre départ prévu pour le 25 juillet, une extravagante *despedida** dans le palais de la famille O'Farrill. Ça sent le cochon rôti à des lieues à la ronde !

Comment Mercedes pourrait-elle jamais se sentir étrangère dans cette ville où tous les gens qui comptent l'entourent, l'admirent, la félicitent, l'embrassent ?

Un grand nombre d'entre eux se pressent au Muelle de Luz, le quai où nous attend *Le Havre-Guadeloupe*, belle frégate française ; jusqu'à la dernière minute, les Havanais veulent dire à la « reine de Paris » qu'elle est aussi la « reine de La Havane ».

Dans son plus bel uniforme, le capitaine Pasquier nous attend au pied de la passerelle et il accueille Mercedes comme une reine, en effet.

Nous rappelant les souvenirs de notre premier départ de La Havane, il y a trente-huit ans, nous restons sur le pont arrière, à regarder s'éloigner la belle ville, la

* Dîner d'adieu pour fêter le départ de quelqu'un.

belle île, bientôt embrasée, puis consumée par les flammes du soleil couchant.

Cette fois, je ne jure pas de ne jamais remettre les pieds dans ce pays : j'en suis sûre !

Cinquième partie

PARIS (1840-1852)

Les douze dernières années

1

Prince Jérôme, au secours!

Depuis la mort du général Merlin, les prétendants se bousculent, rue de Bondy, plusieurs avec des propositions de mariage, comme par exemple le prince Jérôme Napoléon, qui poursuit Mercedes jusqu'à Baden quand elle y fait sa cure.

Lors de notre séjour aux eaux, le prince vient la voir à son hôtel plusieurs fois par jour : cela suscite l'envie féroce des autres grandes dames qui rêvent de s'allier avec la famille impériale. Allez comprendre pourquoi!

Le prince Jérôme, plus jeune que Mercedes, neveu de Napoléon, est le fils de Jérôme Bonaparte, ancien roi de Westphalie... dont on se souvient qu'il avait brutalement abandonné sa femme américaine, Elizabeth Patterson, par suite des pressions de l'empereur, ce bouffi prétentieux ne tolérant que des altesses comme belles-sœurs : Jérôme père eut droit à Catherine, fille du roi de Wurtemberg!

À Baden, entre les verres d'eau, la rumeur va bon train : l'assiduité du prince laisse présager que la comtesse pourrait bientôt devenir princesse. Me faudra-t-il alors l'appeler « Votre Altesse Impériale » ou quelque chose du genre ? *¡Madre de Dios!*

Hélas! Même d'aussi loin que Paris, un nouvel amour continue de régner sur le pauvre cœur sans partage de Mercedes. Mais le prince s'en remettra: elle n'a pas perdu ce don rare d'écarter ses prétendants sans les blesser, les conservant comme amis.

Soit dit en passant, le prince Jérôme Napoléon n'a jamais été mon favori. Je ne sais trop pourquoi, car il a fière allure. Son nom, peut-être, qui a le don de me hérisser!

Autre exemple d'amoureux éconduit resté loyal ami: le marquis Alphonse de Custine, remarquable ténor et séducteur plus remarquable encore. Il a éprouvé une vive passion pour Mercedes mais, fidèle à son général, elle sut lui résister comme aux autres. Aujourd'hui le marquis demeure son ami, son confident le plus sincère. Elle l'accompagne à l'opéra, il l'aide dans l'organisation de ses concerts de bienfaisance, pendant des heures ils bavardent agréablement de tout et de rien, comme seuls les vrais amis se plaisent à faire.

J'aurais eu plus d'indulgence à l'égard du prince, du marquis et des autres si j'avais pu me douter de l'imminente catastrophe: Mercedes allait devenir amoureuse folle d'un être médiocre et méprisable qui gâterait le reste de son existence!

J'éprouve une tristesse infinie à rappeler ces dernières années pathétiques de la vie si extraordinairement riche de Mercedes. Témoin impuissant, au jour le jour, je ressens les moindres soubresauts de son cœur fragile, mal aimé, bientôt bafoué.

Mercedes me donne à lire, pour en corriger le français, ses lettres parfois quotidiennes au «grand amour» de sa vie – disons le deuxième et le dernier! –, l'horrible Philarète Chasles, soi-disant philosophe, auteur d'une douzaine d'ouvrages, sûrement illisibles!

Le premier reproche à lui faire : sa laideur. D'accord, je ne suis pas impartiale, mais quand on est laid à ce point, c'est qu'on le mérite!

Et puis, comment peut-on s'appeler Philarète? Comment des parents normaux osent-ils affliger d'un prénom pareil un bébé tout rose, déjà laid peut-être, mais innocent? Quand ils le montraient à leurs amis étonnés et incrédules, ils s'empressaient d'expliquer que Philarète veut dire, en grec classique, «ami de la vertu». Comme on va voir!

Avant la mort du général Merlin, je l'ai entrevu, avec tant d'autres, dans le salon de la comtesse. Peu de temps après, il devient un assidu des petites et des grandes soirées. Pire, Mercedes se met à le recevoir à dîner seul, à le garder tard le soir… Philarète finit bien par rentrer à la maison puisqu'il a une femme (la pauvre!) et des enfants (les malheureux!).

Cette ultime passion, cette erreur de fin de vie ne me fera jamais oublier la vive sensibilité de cette femme brillante entre toutes, remarquablement généreuse, qui, même au bord de la ruine, donne sans compter aux nécessiteux, jamais ne cesse de faire le bien autour d'elle, d'aider les jeunes artistes et les jeunes écrivains en lançant leur carrière, rue de Bondy. Sans elle, combien de jeunes Cubains de talent n'auraient jamais eu accès au milieu culturel de Paris?

Philarète Chasles sait tout cela. Mal dans sa peau, ce fruit sec est déçu de ne pas être reconnu comme grand philosophe, grand écrivain, grand n'importe quoi! Aigri et fielleux, il rend le reste de l'humanité responsable de l'échec de sa vie.

Pour lui, la comtesse représente le dernier espoir d'être reconnu par les sommités de Paris, pour qui cette femme demeure un oracle. Sans grand effort, il fait croire à Mercedes qu'il l'aime avec passion. Mais pour cet être petit, vil et rabougri, il ne peut y avoir de sentiment noble : ce n'est pas l'amour mais l'intérêt qui l'attache à la comtesse.

Ma pauvre Mercedes, dont on a cru qu'elle ne vieillirait jamais, ressent les premières morsures de l'âge. Dans sa loge à l'opéra, drapée de satin bleu comme le ciel de La Havane, sa belle lourde chevelure rehaussée d'un diadème serti de diamants, elle a toujours l'air d'une reine. De trente ans ! Disons quarante…

En réalité, cette majestueuse « reine de Paris » vient d'atteindre la cinquantaine ! À peine croyable, mais elle le sait, elle en souffre… Dans quelques années, elle aura cinquante-cinq ans, puis, elle sera *sexagénaire* : quelle horreur ! Autant dire quasi morte !

Pour l'instant, elle se sent terriblement seule, elle éprouve un besoin fou d'aimer, d'être aimée… encore une fois ! Une dernière fois, mon Dieu !

Ses enfants l'adorent, c'est entendu, elle ne manque pas d'amis très chers, comme le marquis de Custine… Mais, avant de s'avouer vaincue par la vie, comme femme, elle a besoin d'un ultime feu d'artifice : une passion dévorante, oui, mais aussi une âme sœur, un confident plein de tendresse, un esprit à son niveau intellectuel, un être unique qui la comprenne, avec qui partager les belles années qui lui restent encore…

Jérôme, ô mon prince! Revenez! Peut-être est-il encore temps! Sauvez-nous!

Ayant un instinct sûr en la matière, j'ai vite compris le jeu du Philarète de malheur : cet insignifiant cloporte gonflé d'orgueil a besoin des précieuses relations que la comtesse partage allègrement avec ses amis. L'Avorton veut-il rencontrer un ministre ou le directeur d'un grand journal de Paris? La comtesse aussitôt organise un dîner, rue de Bondy.

En retour, Philarète (ouille! je ne m'habituerai jamais!) prétend aider Mercedes dans ses travaux littéraires, en particulier *La Havane*, le «gros livre» sur Cuba qu'il s'engage à réviser, corriger, promouvoir, etc. On verra avec quelle efficacité!

C'est à cause de cet escogriffe jaune et bilieux que le manuscrit de *La Havane* met tant d'années à paraître sous forme de livre. Il garde le document chez lui, promet d'améliorer tel chapitre, d'ajouter une référence ici, là de remercier un auteur cubain à qui Mercedes a emprunté quelques pages : le Philarète trouve mille excuses pour retarder ces petits travaux… que j'aurais pu exécuter moi-même en quelques heures!

Mercedes croit avoir affaire à un intellectuel génial et ne songerait pas à envoyer son manuscrit à l'éditeur sans la bénédiction du grand homme. Bien évidemment, il abuse de la situation ; il profite de son droit de veto sur *La Havane* pour exiger, en retour, toutes sortes de faveurs de la comtesse.

Prince Jérôme! Prince Jérôme! Au secours!

2

Le grand amour!

Mercedes écrit joliment le français, elle a le sens de l'image et beaucoup d'esprit. Hélas! son orthographe laisse, pour dire le moins, à désirer. Elle souffre d'étranges manies dont je n'arrive pas à la défaire. Elle met rarement un «t» aux mots en «ent»: vraimen, instrumen, sentimen. Par contre, elle écrit seulem^t ou autrem^t, selon un certain usage à Paris dans la correspondance intime. Au milieu d'une jolie phrase, surgit soudain une horreur: «Si je pourrais...» «Tu l'aperceverée...» «Califier la conduite...»

Il entre dans mes fonctions de secrétaire de corriger les écrits de Mercedes, même ses épîtres enflammées à Philarète Chasles, qui me mettent hors de moi! Elle voyage beaucoup et lui aussi: alors, ils s'écrivent, s'écrivent... Elle infiniment plus que lui! Je mets entre guillemets les mots fautifs, elle recopie la lettre corrigée... et je garde les brouillons!

J'ai en main toutes les lettres de Mercedes à Philarète, exactement cent quarante et une... De quoi faire un livre de deux cents pages... qui serait pénible à lire, croyez-moi. Je me contenterai d'en citer les extraits essentiels à l'intelligence de cette histoire d'amour malencontreuse entre une femme passionnée et un lamentable profiteur, cynique et sans cœur.

Voici donc la première lettre où la comtesse quinquagénaire ouvre son cœur à ce Philarète de seulement quarante et un ans… mais qui serait déjà mort si la laideur tuait! Ou la muflerie…

« Que le "tems" me semble long et la vie sans charme loin de toi! Cette journée pèse sur mon cœur, à m'étouffer. Je t'assure, chère âme, qu'en raison inverse des autres "instrumens", mes cordes haussent à mesure que les "vises" s'éloignent de la chanterelle… Quand viendra demain? Combien de bonheur amoncelé dans quelques heures, nous attend! Mon cœur bondit, et mon cerveau se trouble seulem^t d'y penser… Je t'ai contemplé une partie du jour, occupé de mots et de paroles solennelles et désolantes. Puis, je t'ai suivi dans ton foyer domestique, et là, derrière ton fauteuil de travail je me suis assise, mais tant près, tant près en sorte que mon haleine put effleurer tes cheveux, et mes lèvres sécher la sueur de ton front… et là, dans ce cabinet brun, invisible, je vivais de ta vie, et t'envoyai par bouffées, mes pensées d'amour, et toutes les voluptés de mon âme… Maintenant, je m'aperçois que je ne t'ai pas vu, à cette tristesse, à cette langueur de mon âme, dont la vie n'est plus complète loin de toi.

« Adieu, bien aimé de mon cœur! À demain! Bonsoir. Je t'envoie *une bonne nuit* dans le plus tendre baiser… au risque de te faire veiller.

« M[126]. »

Le risque est mince puisque, selon moi, Philarète joue la comédie pour arriver à ses fins. C'est à peine s'il daigne répondre à ces lettres frémissantes, comme en écrivent les jeunes filles à leur premier amour: il grif-fonne trois petites lignes, chaque fois s'excuse, prétexte une maladie, un excès de travail... Il promet de venir rue de Bondy tel jour, à telle heure. Mercedes attend, il ne vient pas. Promet à nouveau... Se défile encore... Bref, je veux l'égorger!

Sans doute un peu gênée, Mercedes évite de me montrer ces réponses toujours décevantes, elle les fourre dans un coffret que je n'ai nulle envie d'ouvrir. En vé-rité, j'ai lu trois ou quatre billets de Philarète: ils traî-naient dans la bibliothèque, peut-être à mon intention. C'est donc à travers les seules lettres de Mercedes que nous vivrons ce drame à saveur romantique, dont notre vieil ami Balzac aurait fait un poignant feuilleton.

«Je ne te verrai donc pas même demain?... Tu ne sais pas combien j'ai besoin de te voir, de te *sentir* près de moi, et tu es bien injuste, je «pourrai» dire *pire*, de ne pas me *deviner*. – Je suis toujours triste et fatiguée de cette affection de côté, je chercherai à me secouer, mais n'es-père pas *réussir*... Si, au moins je "pourrais" te voir! – Mais, quels sont donc ces travaux, qui t'absorbent ainsi, deux jours, sans relâche. Prends garde, que la crainte ne me saisisse à mon tour!... Adieu, je t'aime, et ne vis qu'en *toi*, mon seul bien, ma vie, ma joie! Je t'en prie, ne te fati-gue pas trop!

«M.»

La comtesse est encore loin de s'en douter, mais les «travaux» qui fatiguent tant son Philarète ont la forme de belles marquises influentes à la cour ou de jeunes danseuses de l'Opéra dans la vingtaine...

«... je ne serai rentrée qu'à 10 heures Si tu ne trou-ves pas l'heure trop avancée, viens me voir, car je trouve qu'autant vaudrait que je sois à Dissay (*chez sa fille*), que d'être à Paris pour te voir si peu – En tout cas, *dors* bien avant de venir, pour que tu ne sois pas trop pressé de me quitter...»

Il n'est pas venu... Son travail finira par le tuer, le cher homme!

«Je rentre de l'église, mon bien aimé, et je trouve ton petit billet – quoi qu'il soit fort aimable, "j'aurai" mieux aimé ta présence : mais je me résigne, parce que cela n'a pas été possible, et t'attendrai demain – Je n'ai rien reçu depuis. Je *t'enverrai de la copie* demain matin – Adieu : Je suis triste de ne pas te voir aujourd'hui et toi?»

Mercedes fait allusion à des pages du manuscrit de *La Havane*. Elle a une confiance sans borne dans le jugement et les connaissances littéraires de Philarète qui joue l'indispensable : il prend son temps, bâcle le travail et retarde indûment la publication des ouvrages de la comtesse. Mais, comme il est presque nécessaire d'admirer quelqu'un pour l'aimer, Mercedes a juché son pitoyable Philarète sur un piédestal. Il a toutes les qualités du monde, comme elle le lui écrit :

«Que j'aurais voulu te voir un instant seul, ce soir, pour te dire combien j'ai été contente de toi! J'aime la droiture de ton esprit, l'honnêteté et l'élévation de ton âme! Il me semble, que je pense en toi, que je sens en toi, tant il y a de sympathie entre tes "sentimens" et les miens. – Mais, je ne puis qu'admirer ton éloquence et la comprendre – Mon bien aimé, je *t'aime* – et voilà tout. –»

Non seulement l'amour rend aveugle, mais complètement idiot! Comment une femme aussi intelligente, sensible et sage peut-elle croire, même une seconde, en la «droiture d'esprit» et, *¡Madre de Dios!* en «l'élévation de l'âme» d'un homme aussi petit?

3

Problèmes d'amour et d'argent

La comtesse ne date jamais ses lettres. Parfois, elle indique le jour: *mercredi,* ou *lundi à 2 heures du matin...* J'en perds la notion du temps. Mais, quelle importance? Qu'une lettre soit du 2 octobre 1840 ou du 15 juillet 1841 ne change rien à l'affaire: Mercedes aime éperdument un homme qui ne l'aime pas.

Ce soir, la comtesse va au théâtre avec des amis, dans l'espoir secret d'y voir Philarète:

« ... mes yeux te cherchaient partout, et mon cœur attristé, n'a plus joui de rien, lorsque je me suis assuré que tu n'y étais pas. Malgré tous mes raisonnements sur les *bornes* d'un rhume, je me tourmente de ton mal de gorge – Je t'en prie, mon ange, fais-moi savoir comment tu te portes, ou ce qui vaut mieux encore, viens de bonne heure dîner – J'ai tant besoin d'être près de toi, que je ne jouis plus de rien, aussitôt que tu t'éloignes – Et qu'on vienne nous dire, qu'on *use l'amour* en restant trop ensemble! Oui, un sentiment vulgaire, imparfait où l'attrait de l'amour n'est que dans les plaisirs des sens – mais, non mon bien aimé, mon unique ami! Nous, Dieu nous a donné mille sympathies, et quand le corps se tait, l'âme et l'esprit, n'en sont que plus épris, et comme tout est *double* entre nous, un besoin satisfait éveille un autre et l'attrait mutuel est aussi grand que la puissance de vivre – N'est-ce pas, mon Victor?»

Je m'en rends compte pour la première fois: Mercedes n'a pas le courage d'appeler Philarète son bien-aimé. Alors, parmi ses autres prénoms reçus au baptême, elle a choisi Victor, le plus décent des quatre.

Souvent, Mercedes s'impatiente de la lenteur de Victor-Philarète à lui rapporter un texte révisé, quelques épreuves en placard corrigées, menus travaux qui lui donnent de l'importance, mais sans cesse remis à plus tard:

«C'est encore moi; mais comment penser aux affaires avec suite, lorsqu'on a tant à se dire de mieux? – Peux-tu, mon ami, m'apporter demain soir une partie de mes *brouillons* avec tes notes? De cette manière, je pourrai faire commencer à copier, en attendant le reste, et nous ne perdrons pas de "tems" après en avoir tant perdu. Bien entendu, que cela ne te dérange en rien. – Adieux, je t'aime.»

Je ne devrais pas me plaindre puisque c'est moi la copiste! Mais les éditeurs s'impatientent, Mercedes ne sait plus quoi leur répondre… Quand elle a publié *Mes douze premières années*, *Histoire de la Sœur Inès* et même *Souvenirs et Mémoires*, Philarète Chasles n'était pas encore dans le paysage, nous avions nous-mêmes corrigé les épreuves. Peut-être Prosper Mérimée a-t-il lu l'un ou l'autre de ces manuscrits et suggéré des corrections mineures, en toute amitié. Et vite!

Pour expliquer ses retards, Philarète invoque toutes sortes de maladies qui «l'affligent» ou «le retardent» ou «l'immobilisent»… hélas! sans le tuer! Une autre fois, ses travaux intellectuels l'accaparent entièrement, ce qui impressionne Mercedes au point qu'elle en oublie les siens.

Tout à coup, voilà qu'il ajoute une autre cause à ses impardonnables retards : de nouveaux *soucis*, clairement d'ordre financier. Pour la première fois de sa vie, Mercedes elle-même a du mal à joindre les deux bouts ; elle réduit ses dépenses au minimum et compte sur ses droits d'auteur pour faire face à ses échéances :

«Tes soucis viennent augmenter les miens, et cela ne me "guérie" pas, car je me tourmente encore plus pour toi, que pour moi… mais que faire?»

En des temps meilleurs, il y a quelques années à peine, la très généreuse comtesse aurait réglé les problèmes financiers de Philarète au moyen d'un discret transfert de fonds, comme elle a souvent fait pour secourir un ami en difficulté. Mais ses revenus actuels lui interdisent pareilles largesses, elle renvoie des domestiques et songe sérieusement à quitter la belle maison de la rue de Bondy et à s'installer dans un appartement modeste. Tout cela la déprime et l'humilie…

Au bout de plusieurs mois et d'innombrables lettres d'amour, Mercedes commence à douter de la fidélité de Philarète. C'est pas trop tôt! Elle manque encore de preuves, mais la jalousie se fait jour :

«Je ne sais avec qui je dîne. Mme de la Redorte, une de mes amies, m'a invitée trois ou quatre fois cet hiver, j'avais toujours refusé, pour rester avec vous. Il y a 3 jours, j'ai enfin accepté pour aujourd'hui – Je comprends d'après votre manière d'être depuis quelques jours, que cet incident vous arrive à propos, pour avoir *une soirée de plus…* Plusieurs fois, vous être venu me voir, non seulement à 10 heures, mais plus tard… Je ne doute pas, que cela ne soit plus de même aujourd'hui – À votre gré ; je ne suis pas de nature à chercher à vaincre des difficultés, "que" selon moi sont des *impossibilités*. Passez votre soirée où vous avez passé les autres, je ne suis pas ni assez attrayante ni assez heureuse, pour vous promettre le bonheur, que vous avez trouvé, sans doute, là "ou" vous passez votre "tems" depuis 6 jours – Au reste, je connais assez le cœur humain, pour que rien ne me "surprend" désormais… Mais, j'ai le cœur assez "loyale" pour avoir deviné juste. »

Pauvre chère Mercedes ! Elle devine juste, en effet, mais cet amour fou qui l'attendait comme un voleur, au tournant de la cinquantaine, elle refuse d'y renoncer trop vite, sur la foi de soupçons… pourtant bien fondés ! Elle hésite, tergiverse, oublie ses doutes, évite de claquer la porte… De son côté, Philarète veut garder des liens avec cette comtesse qu'il croit riche, et qu'il n'hésitera pas à exploiter le moment venu. Pas difficile : elle est toute complaisance et l'invite quasiment à se moquer d'elle, femme fière et digne maintenant dominée par une passion à sens unique :

« Tu me connais assez pour savoir que je ne serai jamais un obstacle à tes convenances d'affaires, ni au changement de tes affections. Mon cœur n'a pas changé, mon attachement pour toi est toujours le même, mais il y a quelque chose au-dessus de cela chez moi, c'est la répugnance que j'éprouve à contraindre la volonté ou les actions d'un autre : ce qu'il y a de pire dans les relations de cœur, c'est la dissimulation. – Je comprends que tu aies besoin de travailler, mais, si cette nécessité de ta vie doit te réduire à ne pas me voir *du tout* : quel nom donner à nos rapports ? et ne vaut-il pas mieux prendre sur soi et s'avouer la vérité ? Une rupture me sera très douloureuse car on ne peut cesser d'aimer parce qu'on le *veut* ou qu'on le *doit* à volonté, mais, ne vous voyant pas du tout, reconnaissant que vous prenez votre parti là-dessus avec suite, et sans *faiblesse*, ma vie insensiblem^t s'arrange sans vous, des nouvelles habitudes, de nouveaux devoirs remplissent insensiblem^t mon "tems", et l'éloignem^t, relâchera peu à peu des liens que vous avez si complètem^t abandonnés. [...] Si tu penses que l'état de tes affaires ne te laissant pas de répit, te met dans l'impossibilité de me voir, et de t'occuper de moi, faisons le sacrifice de nos rapports – Tu ne retrouveras pas moins mon cœur en "tout" occasion – le fait est, que cet état de choses ne peut pas durer. »

Humiliée, trahie, abandonnée, cette femme garde une lueur d'espoir, laisse sa porte entrouverte, comme son cœur… De son côté, Philarète temporise, d'autant plus qu'il est pourchassé par ses créanciers, menacé de prison. Il écrit de moins en moins à la comtesse, mais aujourd'hui, il lui détaille la situation désastreuse dans laquelle il se trouve, sûr de toucher un cœur trop sensible. Elle est en effet bouleversée et tente de lui redonner courage :

« Je verse des larmes de douleur et d'indignation, en songeant à ta détresse, et "voudrai" donner mon sang et ma vie pour te sauver, non seulem^t parce que je te regarde comme une chose à moi, mais parce que c'est une honte pour ce siècle rapace et matériel, de voir un homme de ton mérite, aux prises avec la pauvreté, sans qu'il y ait une âme qui vienne à ton secours. Mais, prends courage mon ami, la justice tarde souvent, mais arrive toujours. […]

« Je voudrais, que tu puisses dans un moment de calme, me dire à combien monte le total de ta dette, et de combien sont les dettes *exécutives*, c'est-à-dire, qui entraînent la prise de corps. J'ai une idée là-dessus… Tu y ajouteras, le montant de ce que tu as déjà à la caisse de consignation… J'ai un projet, je te dis : mais écris-moi, je t'en conjure, et ne me délaisse pas, lorsque tu es si malheureux, car tu me fais un mal affreux. J'ai chez mon notaire, deux mille cinq cent £s. – Je "t'envoi" ci-inclus, un mandat, pour qu'il t'en remette mille : si tu as besoin de tout, ne te gêne pas, je te laisse maître d'en disposer ; dis seulem^t un mot : ne me refuse pas, mon chéri ! »

Le « chéri » ne refuse rien, comme bien l'on pense ! Mais il n'a même pas assez d'honneur pour accélérer son petit travail de révision et de correction d'épreuves ! Dans la même lettre, la comtesse l'invite à le faire pour la nième fois :

« Tu me payeras cela plus tard, ou ce qui vaudra mieux, en finissant de régler mon manuscrit tout de suite ; car j'ai grand espoir de venir à ton secours avec le produit de sa vente. D'ailleurs, "envoi" moi *tout de suite*, dans un petit paquet par la diligence, le manuscrit anglais, qui doit être fini… N'est-ce pas, que tu me l'enverras ? […] Je te presse mille fois sur mon cœur ! Ne te gêne pas, pour cet argent, chéri, il est à toi… tu ne me refuses pas, tu me ferais de la peine !… »

Mercedes supplie Philarète d'accepter son argent, tout le liquide sur lequel elle peut mettre la main, en ce moment, alors qu'il lui en manque pour payer les gages de ses domestiques… et de sa secrétaire ! Elle le supplie encore de retourner le manuscrit de *Memoirs of Madame Malibran* que l'éditeur Colburn de Londres est pressé de publier. Plus vite elle touchera des droits d'auteur, plus vite elle pourra secourir l'odieux fainéant sans scrupules !

4

Baden, Dissay, Versailles

Nous allons passer juillet et août à Baden-les-verres-d'eau... Mercedes y rencontre des gens intéressants dont, bien sûr, le prince Jérôme Napoléon... à qui la comtesse ne laisse aucune illusion! Elle va au concert, au bal... et elle écrit de longues lettres à Philarète, de plus en plus exécrable mais qui, au bon moment, répond un mot vaguement aimable qui aussitôt ranime la flamme de Mercedes. Elle parle des gens qu'elle rencontre, peut-être, instinctivement, pour susciter un brin de jalousie chez Philarète, qui reste froid comme un cadavre :

« Les Napoléon sont ici avec leur sœur, Mme Demi-doff (la princesse Mathilde) – Ils sont venus me voir aussitôt, mais soyez parfaitement tranquille, les *morts* ne reviennent pas – Nous avons ici beaucoup d'étrangers de distinction. Je reçois 3 fois par semaine, et on fait de la musique chez moi avec succès les autres 4 jours, il y a bal à la Conversation – Mais j'y vais rarement... »

Une courte missive de Philarète (je l'ai lue en diagonale!) semble avoir enchanté Mercedes. L'infâme a sans doute encore besoin d'argent! Mais n'en parle pas tout de suite, prépare le terrain en ramollissant les résistances… Cela lui vaut une lettre d'amour de Bâle, tendre comme aux premiers jours, datée du 9 août 1841.

«Ami, ami, ami… Je ne saurais vous exprimer tout ce que mon âme éprouve en vous lisant!… C'est de l'amour, de la tendresse, puis un trouble, une lave brûlante qui coule dans mes veines, et s'avive sur mon cœur, triste et désolé de ne pas vous voir!… Ah! oui, Dieu nous a faits l'un pour l'autre, et j'entends résonner partout cet "accor" divin, que vous définissez bien! Je ne sais pas, en vérité, si je me fais bien comprendre de vous, mais je sais bien "aprécier" tout ce qu'il y a d'exquis, de délicat, et de sympathique pour moi en vous. Mais, hélas! au milieu de ces accords divins pourquoi, le sort cherche-t-il à nous éprouver, en nous lançant sur des routes "diférentes"? en multipliant les obstacles qui nous séparent? Ici, où je rêve de vous, combien de bonheur perdu! Combien de jouissances nous étaient offertes! Indépendance, solitude, doux "épanchemens", cette vie à deux unique, ravissante, amour, délire, transport!… Ah, mon ami, pourquoi n'êtes-vous pas ici, près de moi!… »

Elle revient sur la visite du prince Jérôme Napoléon, se doutant bien que cela devrait légèrement agacer Philarète s'il lui reste une brindille d'amour quelque part, à la rigueur d'amour-propre:

«Jérôme a été ici, mais il est parti. Il avait loué une maison pour tout le mois, sachant que j'étais à Bade. À peine arrivé il est venu une ou deux fois par jour – cela a duré 2 ou 3 jours – il a tâché de se rapprocher de moi, mais, j'ai été *incorruptible*!… alors, de dépit, il a essayé de me donner de la jalousie; je n'ai fait qu'en rire, et deux jours après, à propos de "bottes" il a dit qu'il partait pour "francfort" puis, il est parti… Ah! si je vous disais ce qui s'est passé en moi, à ce sujet, vous verriez que vous avez à faire à une femme loyale et consciencieuse –»

Ah! j'aimerais une Mercedes moins loyale! Et plus fière, comme il me semble elle était jadis, ce qui l'empêcherait d'écrire à un homme sans entrailles des déclarations aussi brûlantes que celle-ci, datée du 14 août:

«Je vous écris, chère âme, au milieu de la nuit, avec la fièvre de l'amour, augmenté par le silence et la solitude… Je vous appelle des noms les plus tendres, et il me semble que la réponse, comme un feu follet s'échappe du fond de ce cabinet *brun* et *or*, pour arriver à travers les ombres de la nuit, jusqu'à ce cœur qui languit, et qui se sent mourir pour toi!… Ah! mon bien aimé! – le sens-tu battre à se rompre sous la main qui te presse?… Vois-tu mes lèvres tremblantes, et le voilà qui couvre mes yeux?… et cette rougeur de désir et de honte, qui couvre mon front, et qui cherche en vain ton sein, pour appuyer sa faiblesse?… Mon Dieu! Mon Dieu – que de souffrances je me suis "préparée"!… Adieu, je ne sais plus ce que j'écris.»

Cette fois, je lui donne raison: elle est en plein délire! Et ça recommence au moins à tous les deux ou trois jours, parfois chaque jour!

Nous sommes à la fin d'août et Mercedes a fort envie de rentrer à Paris, mais son médecin la prie de rester encore huit jours à Bade. Bien sûr, les honoraires…

Le prince Jérôme Napoléon n'abdique pas si vite; il revient courtiser la comtesse, mais elle n'a de pensée que pour le très insignifiant, très pénible Philarète, empereur des couillons!

Derniers verres d'eau le 28 août. Sur le chemin du retour, arrêt à Metz, chez Francisco, fils aîné de la comtesse.

Les lettres de Mercedes datées de Metz s'assombrissent de toutes sortes de considérations d'argent, reproches sur les démarches urgentes promises et négligées par Philarète, comme régler les gages de notre ancien cuisinier. Il n'a pas encore inclus dans le manuscrit les quelques noms d'écrivains cubains qui ont aidé la comtesse à écrire *La Havane* et dont elle veut reconnaître la contribution. Ce dernier détail, un paragraphe de trois ou quatre lignes, retarde la publication d'un livre de mille deux cent dix-sept pages !

À Metz, au moins, Mercedes est toute à la joie de revoir sa famille qui l'entoure de tendresse et de petites attentions.

En octobre 1841, nouveau séjour chez sa fille Teresa et son gendre Gentien, dans leur château de Dissay. Mercedes adore ce beau château du XIe siècle, construit par Pierre d'Amboise, évêque de Poitiers et frère du cardinal, ministre de Louis XII. Plusieurs grands noms de France y firent des séjours, dont le roi François Ier en 1531. Enfin, le 12 septembre 1827, le futur gendre de Mercedes en devint propriétaire.

À mesure qu'elle avance en âge, Mercedes multiplie les longs séjours au château de Dissay, où la compagnie est agréable... et la vie moins chère que rue de Bondy !

Elle a un immense besoin de repos, mais son grand cœur triomphe toujours de ses préoccupations personnelles. Sans se faire prier, elle accepte donc d'organiser un grand concert-bénéfice où elle chantera avec Mme de Sparre au profit de l'église de Dissay qui manque d'argent. Tout le canton est en émoi en raison de l'immense réputation de la comtesse qui promet du Rossini, du Bellini, du Mozart, du Cherubini. Soirée mémorable, triomphe pour Mercedes dont on applaudit la voix superbe et la générosité sans borne. Elle avait invité Philarète qui, après avoir laissé entendre qu'il viendrait, n'est pas venu...

Ces temps-ci, les lettres sont moins drôles, de part et d'autre : on y parle surtout d'argent, dont l'amant infidèle et fantasque a un besoin de plus en plus criant. La comtesse répugne à l'idée d'effectuer un emprunt mais, grâce à un de ses fils, déniche des sommes importantes qui aboutissent dans ce tonneau des Danaïdes, appelé, sans doute par dérision, Philactète, «ami de la vertu»! Mercedes, dont la confiance en cet individu dépasse l'entendement, lui donne de l'argent pour apaiser ses créanciers. En retour, elle lui demande un petit service : payer en son nom quelques comptes en souffrance. Le misérable empoche tout et ne règle rien.

Le 1er novembre 1841, Mercedes ne cache plus son irritation :

«Règle maintenant mes comptes de ce que tu as payé et reçu pour moi, et envoie-le-moi, avec les reçus. – et cela, mon ami, tout de suite, parce que, comme je te l'ai mandé, je veux arranger mes affaires, et savoir où j'en suis, *catégoriquement* et par chiffres. Après cette petite formalité, nous n'aurons plus qu'à nous écrire des choses tendres et agréables.»

L'indigne profiteur continue de se moquer de la comtesse, à ne pas régler le traducteur anglais qu'elle paye deux fois pour obtenir le texte, etc. Quant au cuisinier, n'en parlons pas, il attend toujours! Et Mercedes continue de dégoter à gauche, à droite des sommes rondelettes pour son «pauvre ami», dont elle refuse encore de croire qu'il pourrait, par surcroît, ne pas lui être fidèle!

Le 20 mai 1842, une petite inquiétude enfin s'insinue dans son esprit obnubilé et lui fait écrire de Versailles, où nous passons l'été:

«Cher bien aimé, ton souvenir ne m'a pas quitté un instant; et je doute, quoique tu en dises, que tu sois si complètement à moi, comme je le suis à toi... Je t'aime.»

Tout de même! Tout de même! Un vague soupçon montre enfin le bout du nez... Les lettres se suivent et ne se ressemblent pas: déclarations passionnées un jour, amers reproches le lendemain parce que Monsieur ne respecte aucun de ses engagements quant à la correction de *La Havane*, aux démarches auprès des traducteurs, des éditeurs et *tutti quanti*... Puis, à propos de rien, des débordements romantiques et sentimentaux!

5

Philarète derrière les barreaux

Petit exemple des problèmes causés à la comtesse par les négligences de Philarète Chasles. Cent fois, elle lui a demandé d'insérer dans le manuscrit de *La Havane* des remerciements à des écrivains cubains, comme Ramón de Palma et Cirilo Villaverde, à qui elle a emprunté quelques pages. Devant l'absence de cette simple note, des critiques pourront écrire dans les journaux de La Havane que la comtesse a plagié ces auteurs!

Cependant, l'inénarrable Philarète continue de harceler Mercedes qui tarde à lui envoyer encore de l'argent, toujours de l'argent. À l'occasion, elle se rebiffe comme dans sa lettre du 14 novembre 1842, écrite au château de Dissay:

«Les affaires d'argent ne doivent jamais se mêler aux relations de cœur, c'est ternir, ou pour mieux dire, salir ce qu'il y a de plus noble, de plus pur en nous; aussi notre correspondance porte déjà ses fruits, et si un mari avait osé m'écrire sur le ton de vos dernières lettres, je "l'aurai" fait taire, et envoyé promener.»

Bravo! Bravo! Mais qu'attend donc Mercedes pour bouter hors de sa vie, envoyer promener une fois pour toutes cette sombre fripouille qui joue au philosophe? La noblesse des sentiments est l'indispensable ornement de sa réputation à Paris et ailleurs dans le monde. Or, la voilà forcée, parce qu'elle est à court d'argent, de discuter avec un minable de minables questions de petites dettes en souffrance, de gages non payés, de bijoux à vendre, etc. J'ai un peu honte en corrigeant des lettres comme celle-ci:

«Vous m'avez fait une peine cruelle et profonde, je vous l'avoue. Je vous avais laissé quelques affaires à régler: 500f. à payer à mon cuisinier, qui joints à quelques autres petites dettes se montaient à 1.100f. Vous me mandez qu'elles ont monté à 1.350f. soit. Vous avez eu pour les payer 1.750, puisque la parure fut vendue.»

Mercedes fait allusion à son somptueux diadème aux quarante-deux diamants. Elle voulait bien le sacrifier mais jamais au prix ridicule pour lequel Philarète s'est permis de s'en défaire.

Il me fait mal même de recopier le reste de cette affligeante lettre, dont j'espérais au moins qu'elle fût la dernière:

«Et vous n'avez même pas payé les 500f. du cuisinier! Et vous me laissez en "but" aux réclamations multipliées de la part d'un domestique renvoyé! Les plus pressantes des dettes, les plus sacrées, les plus criardes! – cette idée seule me crispe, et me met hors de moi… pourtant, j'avais mis ma confiance en vous, et vous avez manqué à cette confiance! Ce qui vous rend plus coupable encore, c'est que vous connaissez ma position: qu'elle doit vous être sacrée puisque je vous ai tout confié, et que vous n'ignoriez pas que cet argent était le fruit de sacrifices et ventes forcées. – Vous savez, que même dans des positions pénibles, pour moi, j'ai partagé avec vous ce que j'avais, lorsque je vous ai su dans la peine : que ces sacrifices ont été faits avec bonheur, et qu'en allant au-devant de vos tribulations, je ne songeais pas à l'avenir… […] Et comment n'ai-je pas été alarmée, lorsque je voyais d'un côté que vous vous empressiez à vendre, à grande perte ce que je n'avais pas consenti, que de l'autre vous ne payiez pas, et que vous m'annonciez votre intention d'emprunter 3.000f. au 6 %, lorsque je n'avais besoin que de 8 à 900 pour l'appoint et les frais du billet Charres ? – et cela sans me consulter seulem^t – Mais brisons la dessus, et qu'il ne soit plus question d'une affaire, que je voudrais oublier pour toujours. Je payerai de nouveau, s'il le faut les 500f. en question, quoiqu'ils me coûteront plus cher que vous ne pensez, car je suis plus dans l'embarras que jamais : tout me manque à la fois… »

Après pareille algarade, comment un homme à qui il reste une poussière d'honneur peut-il continuer à crâner, à quémander, à exiger, sans même rendre les menus services que sa bienfaitrice ne cesse de lui remettre en mémoire.

« Quant aux épreuves, comment voulez-vous que je fasse ? d'un côté, vous me dites que vous êtes si accablé de mes affaires, que vous ne pouvez pas vous occuper des vôtres ; d'un autre côté, Ladvocat (*l'éditeur*) se plaint de ne pas recevoir les épreuves de vous, ce qui arrête l'impression, déjà suspendue, etc. »

L'indigne, l'horrible Philarète sait pourtant bien que Mercedes compte sur les droits de *La Havane* pour régler ses dettes les plus pressantes… et même pour lui refiler encore de l'argent !

Poussant la générosité jusqu'à l'absurde, elle lui avoue qu'elle se jette dans la rédaction d'un nouveau livre, un roman cette fois, intitulé *Les Lionnes de Paris*[127] : «Je travaille pour *nous* à un roman de mœurs…»

Quand Philarète sent que la poule aux œufs d'or menace de lui échapper, il griffonne illico quelques mots d'une tendresse aussi frelatée que le personnage lui-même : d'un coup, la comtesse oublie ses griefs et se remet à rêver. De Metz, elle écrit, le 17 novembre 1842 :

« Enfin, mon bien aimé : voici une lettre, ou pour mieux dire, un *billet de 4 lignes*, qui tout court qu'il est, a porté quelque consolation à un cœur malade. Tu dis que tu m'aimes, comme auparavant ; je veux bien le croire : mais, comment fais-tu pour arrêter ta plume si vite, lorsqu'au bout de 10 jours de silence, tu la reprends, pour m'écrire ? »

Une telle candeur serait plus digne d'une adolescente en pâmoison que d'une femme du monde dans la cinquantaine ! Une fois, j'ai tenté d'ouvrir les yeux de la naïve et trop confiante Mercedes : je n'ai réussi qu'à la blesser cruellement, ce qui m'a convaincu d'éviter comme le choléra de mentionner le nom de Philarète, pour moi le plus laid de la terre entière.

Fin novembre 1842, le «bien aimé» annonce à la comtesse la nouvelle appréhendée : à la suite d'un procès scandaleux au sujet d'une lettre de change impayée, ses créanciers ont le dernier mot : des gendarmes viennent l'arrêter et l'incarcèrent à la prison de Clichy.

Il faudra sûrement que je m'en confesse au père Anselme, mais cette nouvelle m'a réjouie à un point tel, que j'ai eu envie de danser ! Il y a peut-être une justice en ce bas monde ! Et j'espère que ce goinfre, qui, jusqu'à ces derniers temps, venait encore s'empiffrer rue de Bondy, se retrouvera au pain et à l'eau… pendant au moins un siècle!

Mercedes, tout au contraire, est complètement annihilée par la «catastrophe», comme elle dit. Elle console de son mieux sa «chère âme»… Languissante fripouille! Pataude ganache! Vantard mythomane! Sournois imposteur! Aigrefin faisandé! Huileux escroc! Voilà comment j'interpellerais la «chère âme»!

Avec la patience d'un ange, Mercedes donne de bons conseils à ce vaurien, des moyens de gagner un peu d'argent, de refaire sa vie:

«Une fois libre, au lieu de continuer à travailler pour des gens qui te retiennent le fruit de ton travail, finis de régler mon manuscrit anglais; c'est l'affaire de quelques heures, peut-être, pour le terminer, je l'enverrai en Angleterre et je ne doute pas que Colburn me l'achète, plus ou moins cher, mais, tu en auras encore, plus que tu ne gagnes, sans être payé, pour deux ou trois mois d'articles.»

Parce qu'elle espère, malgré le retard, une jolie somme de son éditeur de Londres – pour aussitôt l'offrir à Philarète! –, elle insiste, en lettres majuscules:

«Mais, LE MANUSCRIT ANGLAIS! LE MANUSCRIT ANGLAIS!… Je sens combien il est malheureux pour toi, de te voir réduit à cette fâcheuse position, et mon cœur saigne en songeant aux souffrances du tien. Mais, si tu peux obtenir que la chose ne soit pas connue, et retrouver la liberté bientôt, le mal sera moins grand que tu ne penses… Oh! que j'accepterais volontiers la perte de la mienne, au prix de rester près de toi, de te voir, de t'entendre, de te consoler!… Adieu, écris-moi, conserve ton courage, et ta liberté d'esprit, et "n'oublies" jamais que tu as un cœur qui te "plains", qui souffre avec toi et qui t'appartient sans réserves.»

Dans son cachot, que je lui souhaite très froid et très humide, le prisonnier ne peut guère invoquer le manque de temps pour écrire à cette femme trop généreuse et trop aimante. Et pourtant, il tarde à envoyer des réponses, toujours brèves et incomplètes, tout en recevant de belles et chaleureuses lettres de Mercedes:

«Je te vois, nuit et jour dans cette geôle infernale seul, malheureux, mal couché, manquant de tout, la tête remplie d'idées tristes et "désolentes", délaissé, oublié... et ce cœur qui souffre avec toi, qui voudrait tant te savoir, où partager ton sort, et te consoler, est en proie à la plus cruelle torture, loin de toi, sans pouvoir rien pour toi!... Comment, Seigneur Dieu, n'as-tu pas pu "éviter" d'en venir là?... Pourquoi ne pas t'en aller hors de Paris, en Angleterre, n'importe où?... Tu connaissais si bien le danger! Enfin, que faire?»

Début décembre, bien trop tôt il me semble, Philarète Chasles retrouve sa liberté... et continue de faire languir Mercedes, déjà aux prises avec cette «maladie de langueur», comme disent les sots médecins, celle-là même qui a fini par emporter sa mère.

6

Les affaires s'enveniment

Pour son malheur, Mercedes a confié à Philarète Chasles l'administration d'une partie de ses affaires. Cet homme, sans contredit le plus mauvais administrateur du monde et le moins scrupuleux, contribue efficacement à la ruine de Mercedes.

Il sort de prison plus aigri que jamais, victime d'une conspiration universelle, déçu de constater que même les relations de la comtesse n'ont pas réussi à lui ouvrir le chemin de la gloire. Sans la moindre gêne, il se tourne alors vers une autre femme connue et influente, la baronne de Presles.

La comtesse poursuit une tendre correspondance, à sens unique ou presque, mais elle se rend à l'évidence : une autre l'a depuis longtemps remplacée dans le cœur (en a-t-il un ?) de Philarète. Elle y fait une allusion claire dans une lettre datée du 3 janvier 1843 :

« Croyez-moi, aucun ressentiment, aucune rancune ne sont restés dans mon cœur, qui vous est toujours tendrem^t attaché, quoique vous m'ayez fait bien du mal… Venez me voir un soir, en me prévenant d'avance, pour que vous puissiez me rencontrer : soyez au repos, votre visite ne sera pas incompatible avec vos *affections nouvelles*: j'ai à vous parler sur mon ouvrage, puisque vous voulez bien y songer: j'ai aussi une commission à vous communiquer: rien ne vous embarrassera dans cette visite, aussi nécessaire à votre repos à venir qu'à mon cœur, et qui rétablira les relations d'une tendre amitié, qui sera j'aime à le croire dorénavant inaltérable. »

Mercedes se rapproche de sa famille et multiplie les séjours à Metz, chez son fils, ou au château de Dissay, chez sa fille… d'où elle écrit moult lettres qui s'accordent assez mal avec une « tendre amitié inaltérable ».

Il y est question de la vieille calèche qu'elle demande à Philarète de vendre à son carrossier pour satisfaire le malheureux cuisinier (pas encore payé, le 20 octobre 1843!) et les autres créanciers de la comtesse: le « tendre ami » néglige de les régler pour utiliser à son profit les sommes confiées!

« Réponds-moi donc! supplie Mercedes. Réponds-moi sans retard si le marchand de chevaux a ou non payé! »

Elle l'implore de remettre les dernières épreuves de *La Havane* à l'éditeur Amyot qui s'énerve sérieusement. L'abruti a tant tardé à envoyer la traduction anglaise à Londres que l'éditeur Colburn renonce à la publication sur laquelle la comtesse comptait absolument pour apaiser ses créanciers… et encore aider Philarète!

Le 30 octobre 1843, elle ajoute à sa lettre un post-scriptum irrité, en majuscules:

« RÉPONDS-MOI – mes NOTES et mes COMPTES! »

Le 7 novembre de la même année, Mercedes utilise enfin un ton cinglant et amer pour répondre à des reproches qu'ose lui faire son obligé:

«Maintenant, je me "répends" amèrem^t d'avoir accepté l'intervention obligeante que tu m'avais "offert" dans mes affaires : le mot *argent* "n'a" jamais dû être prononcé entre deux personnes liées par des rapports comme ceux qui nous unissent, ou *unissaient*, comme vous l'entendrez, et "plut" à Dieu, qu'il "n'eut" jamais été prononcé entre nous ! – Il est possible, que j'aie un peu tardé à perdre mes habitudes d'opulence, et cette manière d'agir large, qui vient d'un caractère ennemi des petites misères de la vie, et que vous "prennez" pour de la crédulité de dupe ; mais, la nécessité m'en corrigera, sans avoir besoin de recevoir des leçons de personne : ma naissance et mon amour de l'ordre me suffiront... »

Attrape, manant !

Presque *un an* plus tard, c'est à peine croyable, Mercedes écrit de Metz cette lettre où elle semble bien près de qualifier la conduite de sa « chère âme » de malhonnête plutôt que de négligente :

«Voici une lettre que je reçois aujourd'hui de mon ancien cuisinier. – Il n'a donc pas été payé ? J'ai là sous mes yeux une lettre de vous, du 24 septembre où vous m'assurez avoir reçu les 600f. du marchand de chevaux, et vous ajoutez – *Je paye demain Victor* – pourtant la lettre ci-jointe est datée d'hier 10 oct. » etc.

Aucun mot tendre, pas même de signature !

Au cours de l'été 1844, un long et doux séjour à Versailles où quelques bons amis reposeront Mercedes de Philarète, avec qui elle a encore des échanges, de plus en plus froids, presque réduits aux « affaires ». Cette sentimentale a un mal fou à se détacher complètement de ce dernier grand amour malheureux de sa vie. À l'occasion, elle l'invite même à dîner, mais il ne vient pas :

«Je vous remercie de votre bon souvenir, mais non pas de vos visites, car vous venez toujours lorsque vous êtes à peu près sûr de ne pas me rencontrer. Pour un grand philosophe, vous avez bien peu de mémoire!»

7

Enfin, *La Havane* paraît!

Ses besoins d'argent chaque jour plus pressants, Mercedes finit par arracher de Philarète Chasles la lettre sur l'esclavage adressée au baron Charles Dupin. Grâce à son prestige immense, la comtesse n'a aucun mal à la faire paraître sous forme d'article dans la très digne *Revue des Deux Mondes*[128].

On sait ce que je pense des opinions de la comtesse sur le problème de l'esclavage! Tant pis pour les lecteurs de la *Revue des Deux Mondes*, qui n'apprendront pas grand-chose sur un sujet brûlant d'actualité! Quelques mois après la parution de l'article, éclatent les sérieuses révoltes d'esclaves de Matanzas à Cuba. Et, en 1844, les répressions sanglantes de la tristement fameuse conspiration dite de *La Escalera*, ordonnée par l'indigne gouverneur O'Donnell.

Entre-temps, la comtesse soustrait sept chapitres du manuscrit toujours entre les mains expertes du grand Philarète: ils paraîtront dans *La Presse*, journal de son ami Émile de Girardin, entre le 26 octobre et le 16 novembre 1843.

Un an plus tard, Philarète Chasles livre enfin le manuscrit de *La Havane* à l'éditeur Amyot, sans y inclure plusieurs corrections et de nombreuses notes, dont la comtesse lui a souvent rappelé l'importance dans ses innombrables lettres. Comme on le sait, ces graves négligences permettent à des critiques havanais d'accuser l'auteur d'avoir, sans l'indiquer, pillé quelques pages à des auteurs cubains.

D'autres critiques cubains ont reproché à la comtesse d'avoir dédicacé son livre à « Son Excellence le Capitaine-général O'Donnell, gouverneur-général de Cuba », à qui elle lance cet appel pathétique : « Gouverneur-général de La Havane, soyez Havanais, général ; réformez les lois, obtenez une représentation nationale pour l'île, mitigez vous-même légalement la dictature du chef suprême. » Grâce à cette dédicace en forme d'apostrophe, la comtesse provoque le gouverneur, espère le rendre plus attentif à ses critiques très vives de l'administration franchement dictatoriale de Cuba.

Elle ne connaissait pas l'infâme personnage puisque nous sommes allées à La Havane en 1840 et que ce gouverneur, un des plus exécrés de l'histoire de Cuba, n'est entré en fonction qu'en octobre 1843. Sans doute, le livre a été publié en février 1844, mais c'est après cette date qu'arriva à Paris la nouvelle de la conduite ignoble du gouverneur O'Donnell, qui massacra froidement un grand nombre de Nègres en rupture d'esclavage…

Quand Mercedes se rend compte de son impair bien involontaire, elle en est si cruellement humiliée qu'elle décide d'arracher à la main la page de la dédicace de chacun des exemplaires non vendus de *La Havane*! En réalité, c'est moi qui accomplis cette tâche, bien douce vengeance contre un odieux tyran qui a écrasé dans l'horreur et le sang une juste révolte des miens.

Dans l'ensemble, *La Havane* est accueilli favorablement par la critique et le public, le livre se vend bien en dépit de sa parution trop longtemps retardée.

Je m'efforce de toujours dire à Mercedes ce que je pense, de lui lire les critiques même les plus sévères, au risque de voir s'assombrir son beau visage. À la première occasion, pour qu'elle retrouve sa bonne humeur, je lui lis un article plus aimable, comme celui de Jacques-Hyppolyte Rolle, paru dans *Le Constitutionnel* du 13 juin 1844 :

« … Les questions de philosophie, de morale, de politique et d'histoire n'effrayent pas l'aimable reine des soirées mondaines de la rue de Bondy ; et s'il lui plaît de quitter la plume naïve et féminine qui a retracé, avec tant de charme, les premières années de la jeunesse de la belle Mercedes, notre brune comtesse écrit des pages substantielles, nourries de faits, et toutes pleines de gravité… Le livre de Mme la comtesse Merlin ressemble à son salon : il prend tous les tons, il a toutes les physionomies, il donne tous les plaisirs. »

Ma foi ! Voilà qui pourrait arracher un sourire à l'auteur le plus maussade de la terre !

8

Petit voyage en Espagne

Quand nous avons quitté Madrid en catastrophe, il y a maintenant plus de trente ans, Mercedes et son mari n'ont pas eu le temps de régler leurs affaires. Bien entendu, le roi Ferdinand VII s'est empressé de saisir tous les biens laissés derrière par les Français ou les *afrancesados*, ces Espagnols ayant collaboré avec Joseph Ier, le roi intrus. Les années ont affadi les vieilles rancœurs et certains *afrancesados* ont pu récupérer quelques biens.

Dans cet espoir, nous quittons Paris pour Madrid à la fin d'octobre 1845. Fière comme elle est – sauf dans ses relations amoureuses récentes! –, la comtesse accepte mal son rôle de « solliciteuse », comme elle dit.

Et pourtant, les Espagnols sont avec elle d'une exquise gentillesse. Elle n'a pas à solliciter des entrevues avec les ministres : ils accourent chez elle! Ils la fêtent, la gâtent et plaident sa cause… auprès d'eux-mêmes! Le tout Madrid veut rencontrer la célèbre comtesse de Merlin!

Mais les vieilles haines de parti sont loin d'être entièrement dissipées et, si les ministres lui expriment une vive sympathie, ils ne lui laissent guère d'illusions sur des biens confisqués par un roi d'Espagne.

Nous quittons Madrid bredouilles, encore un peu plus pauvres... Prosper Mérimée, dont Mercedes apprécie la compagnie, rentre lui aussi à Paris ; il fera le voyage avec nous, pénible voyage en diligence, rendu plus difficile encore par les intarissables bavardages de l'auteur de *Carmen*. Sans se demander si cela intéresse ou non la comtesse, il lui fait des commentaires désobligeants sur la société de Paris : la taille trop généreuse de la princesse de Joinville, les amours de Mlle Rachel de la Comédie-Française, l'esprit de la duchesse d'Aumale, les derniers spectacles de l'Odéon, et autres sujets aussi passionnants[129].

De toute évidence, Mercedes pense à autre chose, en regardant défiler l'Espagne de sa jeunesse heureuse et aussi de sa fuite en forme de cauchemar vers la France, la petite Teresa dans ses bras... Souvenir atroce que je n'oublierai pas facilement, moi non plus ! Le crépitement des balles des guérilleros ne valait pas mieux que le blablabla de M. Mérimée...

Nous rentrons à Paris le 20 décembre 1845. Vite, nous courons nous reposer à Dissay, où nous attend la vie de château. À bon compte !

Fin 1846 – une mauvaise année ! – Philarète Chasles revient dîner rue de Bondy. À l'occasion, sans doute pour arracher quelque nouvelle faveur. À mon grand étonnement, je constate qu'il passe parfois la nuit... dans la chambre de la comtesse ! Après les horreurs qu'ils ont vécues depuis six ans ! Je renonce à comprendre les Blancs...

Ma pauvre Mercedes n'en finit plus de se faire des illusions, pour les perdre aussitôt. Inévitablement, elle découvre que Philarète fréquente une toute nouvelle maîtresse, d'où ces mots durs qui devraient bien être les derniers :

« Vous m'avez trompée – Je ne veux plus de vous. Je ne suis pas étonnée de la *sobriété* de vos désirs depuis quelque "tems". – Votre femme a raison ; et moi qui ne la suis pas, je ne peux pas endurer les privations, et les infidélités ; je vaux mieux ! »

Enfin ! Merci, mon Dieu ! Les « affaires » dont s'occupe Philarète étant loin d'être réglées, la comtesse finit par comprendre que son « philosophe » est un escroc. Il refuse obstinément de lui rendre des comptes et sa réputation d'honnête homme est à jamais compromise, même auprès des domestiques et des fournisseurs de la comtesse.

Mais ce qui la blesse cruellement, ce n'est pas d'avoir été volée par ce minable, mais qu'il l'ait trompée avec d'autres femmes !

« Non, jamais, vous retrouverez ma confiance, tout est perdu, tout est fini, vous avez brisé, pour une fantaisie de libertinage, peut-être d'amour-propre, la plus tendre, comme la meilleure, et la plus complète union… peut-être le regretterez-vous un jour. Gardez cette femme…, elle me vengera bientôt – je n'en doute pas. – Ne m'écrivez plus, ne venez plus chez moi, au moins de quelque "tems", ne cherchez pas à me voir, – jouissez en paix de vos amours "renouvellés", soyez tranquille, je ne les troublerai pas.

« Adieu – je ne veux plus entendre prononcer votre nom… Point d'excuse, point de mensonge… On ne trompe pas un cœur comme le mien… – Adieu encore, faites comme si j'étais morte… mieux vaudrait que de vous avoir connu.

«Renvoyez-moi mes lettres… pas un mot de vous!»

Ma foi, cela sonne bien comme un hallali! Cette triste histoire d'amour, qui a presque tué ma douce Mercedes, me semble bien morte. Malgré tout, un bout de phrase m'inquiète: «ne venez plus chez moi, au moins de quelque "tems"». J'ose croire que cette porte, à peine entrouverte, ne laissera passer que les épreuves du *Duc d'Athènes*!

La plus récente tromperie de Philarète est un coup terrible, une épreuve majeure qui ébranle encore davantage une femme à la santé frêle, minée par ses angoissants problèmes financiers.

Sa vie n'ayant plus d'objet, Mercedes se met à décliner au physique et au moral. Non seulement sa liaison avec Philarète Chasles ne lui a apporté aucun bonheur, mais elle lui a fait perdre un peu de son prestige. Son salon est moins fréquenté depuis qu'y a trôné Philarète; et maintenant, sauf exceptions, les vieux amis s'éloignent les uns après les autres.

Les enfants de Mercedes ne l'aiment pas moins, mais elle devine des reproches dans leur regard, ce qui la fait souffrir et la ronge. Peut-être se sont-ils sentis humiliés de voir leur noble mère devenir le jouet d'un personnage mesquin et sans scrupules… qui sans doute les privera de tout héritage!

Même les événements politiques les plus sensationnels, par exemple le coup d'État qui donne naissance au Second Empire de Napoléon III, la laissent indifférente. Si elle en avait eu la volonté, elle aurait pu très vite retrouver son influence à Paris, compte tenu de ses vieux liens d'amitié avec la famille Bonaparte, et de la belle réputation de feu le général Merlin, un des grands généraux de Napoléon.

Mais ce monde ne l'intéresse plus depuis qu'elle songe à un monde meilleur : cette catholique plutôt tiède devient d'une grande piété qui remplit sa vie et la réconforte. Elle se détache peu à peu des amis qui viennent encore la voir et trouve la sérénité en compagnie des prêtres, dont l'abbé Martin de Noirlieu, ancien précepteur du comte de Chambord, qui a les mots qui rassurent.

Mercedes retrouve la paix. Elle se distrait en faisant de très beaux ouvrages de tapisserie. « L'esprit court les champs, pendant que la bête tire l'aiguille », aime-t-elle dire.

Elle n'a plus la force d'écrire des livres. D'ailleurs, peu satisfaite de son dernier roman, *Le Duc d'Athènes*, elle le publie sous le pseudonyme de Feu le Prince de ***[130].

Mercedes trouve encore le courage d'écrire quelques lettres édifiantes à Philarète, où elle lui révèle s'être rapprochée de la religion catholique et de l'Évangile, qui lui apportent la sérénité. Elle souhaite que son ancien amant en fasse autant… sans doute pour qu'ils se retrouvent au ciel un jour !

J'ai bien envie de reprendre à mon compte le mot de Hatuey à propos des Espagnols : « Si Philarète Chasles va au ciel, je veux pas y aller ! »

9

Mort d'une reine

Mille huit cent quarante-huit. La comtesse met un terme à la vie glorieuse de ses salons, elle quitte le bel hôtel particulier du 58, rue de Bondy, pour se réfugier dans un très humble appartement de la rue de Berlin. Les princes et les ducs viennent moins souvent la voir que le curé de Saint-Louis d'Antin, l'abbé Martin de Noirlieu, avec qui elle parle de tout, beaucoup du bon Dieu…

La comtesse aurait du mal à survivre sans l'aide pécuniaire de son fils Gonzalgue Christophe, marié à une riche Havanaise… qui l'est devenue, comme les autres, en exploitant mes sœurs et mes frères esclaves!

Je ne me plains pas de notre vie maintenant plus calme : Mercedes vient d'avoir cinquante-neuf ans, ce qui revient à dire que j'en ai bien soixante-six! Je suis en excellente forme mais, certains jours d'hiver, je le sens dans mes os : je n'ai plus vingt ans!

Été paisible à Saint-Gratien, où de rares et fidèles amis, comme le marquis de Custine et le marquis de Foudras, viennent se rappeler les belles années.

En l'espace de quelques mois, la santé de Mercedes se détériore, dégringole ; la vie ne l'intéresse plus et seule la mort, dit-elle, lui apporterait la vraie paix. Terriblement inquiète, je préviens son fils Francisco Javier, le nouveau comte de Merlin qui a francisé son nom en François-Xavier, dont la tendresse sera une des dernières joies de la malade.

Le 13 mai 1852, à l'âge de soixante-trois ans, Maria de las Mercedes Santa Cruz y Montalvo, comtesse de Merlin, meurt en présence de ses enfants… et de la fidèle Cangis!

Depuis quelques années, la comtesse avait cessé d'être la « reine de Paris », mais l'annonce de sa mort soulève une vive émotion dans la capitale. Des femmes et des hommes illustres, musiciens, écrivains, artistes, représentants de l'aristocratie, de la politique et de la presse accompagnent la dépouille au cimetière du Père-Lachaise, où elle repose auprès de sa fille Joséphine, morte en bas âge, et de ses deux généraux tant aimés, Merlin et O'Farrill.

Dans la *Revue et Gazette musicale de Paris* et dans *La France Musicale*, je découpe deux petits articles sur la mort de Mercedes. Il y en aura bien d'autres! Dans la première publication:

« Mme la comtesse Merlin a succombé mercredi dernier à une longue et douloureuse maladie. Les arts et la société perdent en elle une des femmes les plus renommées par ses talents et sa beauté. Elle était née à La Havane, et sortait d'une des meilleures maisons de la Nouvelle-Espagne. Musicienne excellente, elle avait longtemps chanté avec un grand succès… »

Et dans *La France Musicale*:

« Mme la Comtesse Merlin, une des femmes les plus aimables de ce temps-ci, et dont le salon a été pendant plusieurs années le sanctuaire de l'art musical, vient de mourir à Paris. Ses obsèques ont eu lieu vendredi dernier, au milieu d'un concours immense de gens du monde, de littérateurs et d'artistes. »

Après avoir vécu aussi intensément, Mercedes, je le sais, n'avait aucun désir de prolonger une vie devenue banale. C'est pourquoi sa mort ne m'a pas anéantie comme je l'anticipais. J'ai pleuré, bien certainement, en me rappelant les moments forts d'une vie exceptionnelle que j'ai eu le bonheur de partager, la tendresse de Mercedes à mon égard, sa générosité dont j'ai été la bénéficiaire depuis le jour où j'ai quitté la plantation de son père pour la suivre à Madrid, à Paris et ailleurs.

Grâce à Mercedes, au lieu de vivre la vie sans espoir des esclaves, je suis devenue une femme libre, citoyenne française, dame de compagnie d'une reine ; j'ai entendu plus de belle musique que le directeur de l'Opéra, j'ai connu les plus grands esprits du siècle, j'ai visité les plus belles villes d'Europe. Voilà qui serait assez pour garder à la comtesse une reconnaissance émue et éternelle.

En entendant le notaire lire le testament, j'ai bien failli m'évanouir : en dépit des sérieuses difficultés d'argent qui ont assombri ses douze dernières années, ce cœur généreux a trouvé le moyen de me doter d'une rente viagère qui m'assure un revenu convenable jusqu'à la fin de mes jours. Par surcroît, la très bonne et très prodigue Mercedes me lègue une cassette remplie des bijoux qui me plaisaient particulièrement, dont une rivière de diamants… que jamais je n'oserai porter !

À la mémoire de cette femme extraordinaire, que pouvait contribuer son ancienne esclave, sinon un témoignage ému et affectueux ? À l'insu de Mercedes, j'en ai commencé la rédaction peu après notre installation à Madrid, stimulée par les événements historiques dont j'étais un témoin privilégié. Au cours des années, j'ai ainsi rempli douze petits cahiers : une sorte de journal où je parle de Mercedes infiniment plus que de moi-même !

Au cours de l'interminable aventure de la publication de *La Havane* par la Librairie d'Amyot à Paris, je me suis liée d'amitié avec le principal lecteur de la maison, Lucien Delrue. Un jour, à la suite de je ne sais quelle misérable histoire d'épreuves égarées par Phila-rète Chasles, Delrue me lance, sûrement à la blague :

«Votre vie auprès de la comtesse est un véritable roman ! Vous devriez écrire ça !»

Prise par surprise, je réponds spontanément mais pour le regretter aussitôt :

«C'est déjà fait !

– Oh ! Cangis ! Vous devez me laisser lire ce manus-crit…

– Jamais de la vie ! Ces souvenirs m'appartiennent et n'ont pas été écrits pour être publiés. D'ailleurs, je ne suis pas écrivain…

– Pardon, ma chère Cangis ! Vous corrigez même les écrits de la comtesse de Merlin dont notre maison est fière de publier les livres…»

J'ai fini par céder mais à une condition *sine qua non* : si mon récit intéressait la Librairie d'Amyot, il ne devait pas être publié avant que tous les personnages dont je parlais soient morts et enterrés. Moi comprise !

Les derniers mois m'ayant épuisée au physique et au moral, pour la première fois je décide de me payer un petit voyage, toute seule, comme une grande! On dit le mois de mai délicieux à Nice. Et je veux voir Marseille...

Épilogue

Le 20 juin 1852, Mme Cangis Congo de Paris s'embarque à Marseille sur le vapeur *Ville-de-Nantes*, en route pour le Congo, sur la côte ouest de l'Afrique.

Le 26 février 1889, l'esclavage est officiellement aboli dans l'île de Cuba.

Le 18 juillet 1873, M. Philarète Chasles, philosophe de Paris, meurt du choléra à Venise.

Notes

PREMIÈRE PARTIE

1. Comtesse Merlin, *Souvenirs et Mémoires de Madame la Comtesse Merlin,* Paris, Mercure de France, 1990, p. 25.
2. *Ibid.*, p. 24.
3. Comtesse Merlin, *Mis doce primeros años,* La Havane, Editorial Letras Cubanas, 1984, p. 7.
4. Comtesse Merlin, *Souvenirs et Mémoires de Madame la Comtesse Merlin,* p. 39.
5. *Ibid.*, p. 42.
6. Baron Alexandre von Humboldt, *Ensayo Político Sobre La Isla de Cuba,* Paris, Casa de Junes Renouard, 1827.
7. Comtesse Merlin, *Souvenirs et Mémoires de Madame la Comtesse Merlin,* p. 68.

DEUXIÈME PARTIE

8. Comtesse Merlin, *Souvenirs et Mémoires de Madame la Comtesse Merlin,* p. 73.
9. *Ibid.*, p. 77.
10. *Ibid.*
11. Dora Jiménez, *La Condesa de Merlin,* La Havane, Empresa Editoria de Publicaciones Virtudes 97, 1938, p. 53.
12. Comtesse Merlin, *Souvenirs et Mémoires de Madame la Comtesse Merlin,* p. 92.
13. Comtesse Merlin, *Histoire de la Sœur Inès,* Paris, P. Dupont et Laguionie, 1832.

14. Geoffroy de Grandmaison, *L'Espagne et Napoléon*, Paris, Librairie Plon, 1908, p. 180.
15. Comtesse Merlin, *Souvenirs et Mémoires de Madame la Comtesse Merlin*, p. 155.
16. Geoffroy de Grandmaison, *L'Espagne et Napoléon*, p. 184.
17. Bernard Narbonne, *Joseph Bonaparte, le roi philosophe*, Paris, Librairie Hachette, 1949, p. 121.
18. Comte Miot de Mélito, *Mémoires du Comte Miot de Mélito*, Paris, Michel Lévy Frères, Libraires-Éditeurs, 1858, p. 6.
19. Bernard Narbonne, *Joseph Bonaparte, le roi philosophe*, p. 123.
20. *Ibid.*
21. Azanza et O'Farrill, *Mémoires de D. Miguel Joseph de Azanza et de D. Gonzalo O'Farrill...*, Paris, Imprimerie de P. N. Rougeron, 1815.
22. Geoffroy de Grandmaison, *L'Espagne et Napoléon*, p. 315.
23. *Ibid.*, p. 317.
24. *Ibid.*, p. 320.
25. *Ibid.*, p. 365.
26. Comte Miot de Mélito, *Mémoires du Comte Miot de Mélito*, p. 19.
27. *Ibid.*, p. 23.
28. *Ibid.*
29. Comtesse Merlin, *Souvenirs et Mémoires de Madame la Comtesse Merlin*, p. 215.
30. Geoffroy de Grandmaison, *L'Espagne et Napoléon*, p. 404.
31. *Ibid.*, p. 365.
32. Comtesse Merlin, *Souvenirs et Mémoires de Madame la Comtesse Merlin*, p. 234.
33. Joseph Bonaparte, *Mémoires et correspondance politique et militaire du Roi Joseph*, Paris, Perrotin, Libraire-Éditeur, 1856, p. 340.
34. *Ibid.*, p. 59.
35. *Ibid.*
36. *Ibid.*, p. 151.
37. Comtesse Merlin, *Souvenirs et Mémoires de Madame la Comtesse Merlin*, p. 258.

38. Augustín de Figueroa, *La Condesa de Merlin, musa del romanticismo*, Madrid, Imprenta de Juan Pueyo, 1934, p. 8.
39. Comtesse Merlin, *Souvenirs et Mémoires de Madame la Comtesse Merlin*, p. 319.
40. Vicomte de Naylies, *Mémoires sur la guerre d'Espagne*, Paris, Bouragne, Librairie, 1835.
41. Comtesse Merlin, *Souvenirs et Mémoires de Madame la Comtesse Merlin*, p. 341.
42. Sigisbert Hugo, *Mémoires du général Hugo*, Paris, Éditions Excelsior, 1934, p. 270.
43. Comtesse Merlin, *Souvenirs et Mémoires de Madame la Comtesse Merlin*, p. 350.
44. *Ibid.*, p. 413.
45. *Ibid.*, p. 414.

TROISIÈME PARTIE

46. Azanza et O'Farrill, *Mémoires de D. Miguel Joseph de Azanza et de D. Gonzalo O'Farrill...*
47. *La Revue musicale*, Paris, 5 mars 1831, citée dans Domingo Figarola Caneda, *La Condesa de Merlin*, Paris, Éditions Excelsior, 1928, p. 52.
48. Comtesse Merlin, *Mes douze premières années*, Paris, Gaultier-Laguionie, 1831.
49. Comtesse Merlin, *Histoire de la Sœur Inès*, Paris, P. Dupont et Laguionie, 1832.
50. Comtesse Merlin, *Souvenirs et Mémoires de Madame la Comtesse Merlin, (1789-1852), Souvenirs d'une Créole*, Paris, Charpentier, 1836, 4 t.
51. Dora Jiménez, *La Condesa de Merlin*, p. 95.
52. *Ibid.*, p. 116.
53. *Ibid.*, p. 60.
54. Augustín de Figueroa, *La Condesa de Merlin, musa del romanticismo*, p. 8.

55. Paru dans un journal de Paris le 1ᵉʳ avril 1836 et repris dans C.A. Sainte-Beuve de l'Académie française, *Premiers Lundis*, t. II, Paris, Calmann-Lévy, 1894, nouvelle édition.
56. Comtesse Merlin, *La Havane*, t. I, Paris, Librairie d'Amyot, 1844, p. 9.
57. *Revue et Gazette musicale de Paris*, 19 avril 1840, citée dans Domingo Figarola Caneda, *La Condesa de Merlin*, p. 58.
58. Comtesse Merlin, *La Havane*, t. I, p. 20.
59. *Ibid.*, p. 30.
60. *Ibid.*, p. 33.
61. *Ibid.*
62. *Ibid.*, p. 37.
63. *Ibid.*, p. 38.
64. *Ibid.*, p. 63.
65. *Ibid.*
66. *Ibid.*, p. 76.
67. *Ibid.*, p. 112.
68. *Ibid.*, p. 113.
69. *Ibid.*, p. 121.
70. *Ibid.*, p. 127.
71. *Ibid.*, p. 170.
72. *Ibid.*, p. 172.
73. *Ibid.*, p. 179.
74. *Ibid.*, p. 188.
75. *Ibid.*, p. 197.
76. *Ibid.*, p. 228.
77. *Ibid.*, p. 229.
78. *Ibid.*, p. 267.
79. *Ibid.*, p. 271.
80. *Ibid.*, p. 283.
81. *Ibid.*, p. 286.
82. *Ibid.*, p. 287.
83. *Ibid.*, p. 288.
84. Domingo del Monte, *Ensayos Criticos*, La Havane, Pabro de la Torriente, Editorial, 2000, p. 175.

85. Comtesse Merlin, *La Havane*, t. I, p. 302.
86. *Diario de La Habana*, le 11 juin 1840, cité dans Antonio Nuñez Jiménez, *Los Esclavos negros*, La Havane, Éditions Mec Graphic Ltd, 1998, p. 347.
87. *Ibid.*, p. 357.
88. Comtesse Merlin, *La Havane*, t. I, p. 343.
89. Comtesse Merlin, *La Havane*, t. II, p. 88.
90. *Ibid.*, p. 7.
91. *Ibid.*, p. 15.
92. *Ibid.*, p. 88.
93. *Ibid.*, p. 89.
94. *Ibid.*, p. 168.
95. *Ibid.*, p. 178.
96. *Ibid.*, p. 242.
97. *Ibid.*, p. 243.
98. *Ibid.*, p. 244.
99. *Ibid.*, p. 273.
100. *Ibid.*, p. 281.
101. *Ibid.*, p. 284.
102. *Ibid.*, p. 280.
103. *Ibid.*, p. 315.
104. *Ibid.*, p. 317.
105. *Ibid.*, p. 319.
106. *Ibid.*, p. 330.
107. *Ibid.*, p. 332.
108. *Ibid.*, p. 406.
109. *Ibid.*, p. 412.
110. *Ibid.*
111. *Ibid.*, p. 415.
112. *Ibid.*, p. 424.
113. Comtesse Merlin, *La Havane*, t. III, p. 4.
114. *Ibid.*, p. 12.
115. *Ibid.*, p. 7.
116. *Ibid.*, p. 8.
117. *Ibid.*, p. 9.
118. *Ibid.*, p. 11.

119. *Ibid.*, p. 170.
120. *Ibid.*, p. 171.
121. *Ibid.*, p. 175.
122. *Ibid.*, p. 180.
123. *Ibid.*, p. 193.
124. *Ibid.*
125. *Ibid.*, p. 223.

CINQUIÈME PARTIE

126. Toutes les lettres de la comtesse de Merlin à Philarète Chasles ont été colligées par Domingo Figarola Caneda et publiées dans *La Condesa de Merlin*, p. 187 et suiv.
127. Comtesse Merlin, *Les Lionnes de Paris*, Paris, Librairie d'Amyot, 1845, 2 t.
128. *Revue des Deux Mondes*, t. XXVI, Paris, 1841, p. 734 à 763.
129. Augustín de Figueroa, *La Condesa de Merlin, musa del romanticismo*.
130. Feu le Prince de***, *Le Duc d'Athènes*, Paris, Paul Bermain et Cie, 1852.

Bibliographie

ŒUVRES DE LA COMTESSE DE MERLIN

Mes douze premières années, Paris, Gautier-Laguionie, 1831.
Histoire de la Sœur Inès, Paris, P. Dupont et Laguionie, 1832.
Souvenirs et Mémoires de Madame la Comtesse Merlin, (1789-1852), Souvenirs d'une Créole, Paris, Charpentier, 1836, 4 t.
Les Loisirs d'une femme du monde, Paris, Librairie de l'Advocat et Comp., 1838, 2 t.
Madame Malibran, Bruxelles, Société Typographique Belge, Ad. Wahlen et Cie, 1838, 2 t.
Mis doce primeros años, traduit par Agustín de Palma, Philadelphie, 1838.
Historia de la Hermana Santa Inés, traduit par Agustín de Palma, Philadelphie, J. C. Clark, 1839.
Malibran, Milan, Pirotta et C., 1840.
Memoirs and Letters of Madame Malibran, Philadelphie, Carey and Hort, 1840.
Memoirs of Madame Malibran, Londres, Henry Colburn, 1840.
«Les Esclaves dans les colonies espagnoles», Paris, *Revue des Deux Mondes*, 13 juin 1841.
Los esclavos en las colonias españolas, Madrid, Imprenta de Alegria y Charlain, 1841.
Lola et Maria, Paris, L. Potter, Librairie Éditeur, 1843, 2 t.
La Havane, Paris, Librairie d'Amyot, 1844, 3 t.
La Havane, Bruxelles, Société Typographique Belge, 1844.

Memoirs of Madame Malibran, with a selection from her correspondence and notices of the musical drama in England, Londres, Henry Colburn, 1844, 2ᵉ éd.

Viage a La Habana, Prólogo de Gertrudis Gómez de Avellaneda, Madrid, Imprenta de la Sociedad Literaria y Tipográfica, 1844. (L'éditeur espagnol a tronqué un grand nombre de chapitres qui auraient pu déplaire à la cour d'Espagne.)

Les Lionnes de Paris, Paris, Librairie d'Amyot, 1845, 2 t.

Le Duc d'Athènes, publié sous le pseudonyme de Feu le Prince de ***, Paris, Paul Bermain et Cie, 1852, 3 t.

Memorias y recuerdos de la Señora Condesa de Merlin, traduit par Agustín de Palma, La Havane, A. M. Dávila, 1853, 3 vol.

Mis doce primeros años, traduit par Agustín de Palma, La Havane, Imprenta de la Unión Constitucional, 1892.

Viage a La Habana, La Havane, Biblioteca de la Unión Constitucional, 1892. (Édition cubaine de l'édition espagnole tronquée de 1844.)

Mis doce primeros años, Biographie de Francisco Calgagno, La Havane, Imprenta del Siglo XX, 1922.

Viage a La Habana, La Havane, Librería Cervantes, 1922. (Édition cubaine de l'édition espagnole tronquée de 1844.)

Memorias de la Condesa de Merlin, traduit par G. de Z., Paris, Charpentier, 1922-1923.

Viage a La Habana, Prólogo de Salvador Bueno, La Havane, Ed. de Arte y Literatura, 1974. (Édition cubaine de l'édition espagnole tronquée de 1844.)

La Habana, traduit par Amalia E. Bacardi, Madrid, Cronocolor, 1981.

Mis doce primeros años, Prologue de Nara Araujo, La Havane, Editorial Letras Cubanas, 1984.

Souvenirs et Mémoires de Madame la Comtesse Merlin. Souvenirs d'une Créole, Introduction et notes de Carmen Vásquez, Paris, Mercure de France, 1990.

ABRANTES, Laure Permon, duchesse d', *Mémoires*, t. 5, Paris, L. Mame Éditeur, 1835.

AZANZA, D. Miguel Joseph de, et D. Gonzalo O'FARRILL, *Mémoires de D. Miguel Joseph de Azanza et de D. Gonzalo O'Farrill et Exposé des faits qui justifient leur conduite politique depuis mars 1808 jusqu'en avril 1814*, Paris, Imprimerie de P. N. Rougeron, 1815.

BALZAC et quelques écrivains, *Lettres aux belles femmes de Paris et de Province*, Paris, 1840.

BASSANVILLE, comtesse de, *Salons d'autrefois*, Paris, Édition de Montsouris, 1885.

BERTIN, Georges, *Joseph Bonaparte en Amérique*, Paris, Librairie de la Nouvelle Revue, 1893.

BONAPARTE, Joseph, *Mémoires et correspondance politique et militaire du Roi Joseph*, publiés, annotés et mis en ordre par A. Du Casse, Paris, Perrotin, Libraire-Éditeur, 1856, 10 t.

DEL MONTE, Domingo, *Centón epistolario*, t. III, La Havane, Academia de la Historia, Imprenta El Siglo XX, 1937.

— *Ensayos criticos*, Selección, prólogo y notas de Salvador Bueno, La Havane, Clásicos Cubanos, Academia Cubana de la Lengua, 2000.

FIGAROLA CANEDA, Domingo, *La Condesa de Merlin* (*Maria de las Mercedes Santa Cruz y Montalvo*), Paris, Éditions Excelsior, 1928.

FIGUEROA, Augustín de, *La Condesa de Merlin, musa del romanticismo*, Prólogo del Marques de Villa Urrutia, Madrid, Imprenta de Juan Pueyo, 1934.

GRANDMAISON, Geoffroy de, *L'Espagne et Napoléon (1804-1809)*, Paris, Librairie Plon, 1908.

GUERRA Y SÁNCHES, Ramiro, *Manual de Historia de Cuba*, La Havane, Cultural, S.A., 1938.

HUGO, Sigisbert, *Mémoires du général Hugo*, Paris, Éditions Excelsior, 1934.

HUMBOLDT, baron Alexandre von, *Essai politique sur l'île de Cuba*, Paris, Smith, Libraire, 1826.

JIMÉNEZ, Dora, *La Condesa de Merlin – Una gran dama cubana que brilla en Europa y America*, La Havane, Empresa Editoria de Publicaciones Virtudes 97, 1938.

LASTRA, Joaquin de la, *Teresa Montalvo*, Revista bimestre cubana, vol. XLVIII, La Havane, 1941.

MASSON, Frédéric, *Napoléon et sa famille*, Paris, 1900, 13 t.

MÉLITO, comte Miot de, *Mémoires du comte Miot de Mélito*, Paris, Michel Lévy Frères, Libraires-Éditeurs, 1858, 3 t.

MÉNDES RODENAS, Adriana, *Gender and Nationalism in Colonial Cuba. The Travels of Santa Cruz y Montalvo, Condesa de Merlin*, Nashville et Londres, Vanderbuilt University Press, 1998.

NARBONNE, Bernard, *Joseph Bonaparte, le roi philosophe*, Paris, Librairie Hachette, 1949.

NAYLIES, vicomte de, *Mémoires sur la guerre d'Espagne (pendant les années 1808, 1809, 1810 et 1811)*, Paris, Magimel, Anselin et Pochard, Libraires pour l'Art militaire, chez Bouragne, Librairie, 1835, 2ᵉ éd.

OLMEDILLA, Augusto Martinez, *Nuevas memorias de un afrancesado (En el Madrid Goyesco)*, Madrid, Anecdotario, 1952.

ORTIZ, Fernando, *Los negros esclavos*, La Havane, Instituto Cubano del Libro, 1975.

PEREZ, Joseph, *Histoire de l'Espagne*, Paris, Fayard, 1996.

ROCA, M. de, *Mémoires sur la guerre des Français en Espagne*, Paris, Gide Fils, Libraire, 1814.

ROSS, Michael, *The Reluctant King*, Londres, Sidgwick & Jackson, 1976.

TORRE, José Maria de la, *Lo que fuimos y lo que somos o La Habana Antigua y Moderna*, La Havane, Imprenta de Spencer y Compañía, 1857.

VILLA URRUTIA, marquis de, *La Condesa Merlin*, Revista bimestre cubana, vol. XXVII, La Havane, 1931.

Table

AUTRES TITRES PARUS
DANS LA MÊME COLLECTION

Fortin, Arlette, *C'est la faute au bonheur*
    (Prix Robert-Cliche 2001)
Fournier, Roger, *Les miroirs de mes nuits*
Fournier, Roger, *Le stomboat*
Gagné, Suzanne, *Léna et la société des petits hommes*
Gagnon, Madeleine, *Lueur*
Gagnon, Madeleine, *Le vent majeur*
Gagnon, Marie, *Des étoiles jumelles*
Gagnon, Marie, *Les héroïnes de Montréal*
Gagnon, Marie, *Lettres de prison*
Gélinas, Marc F., *Chien vivant*
Gevrey, Chantal, *Immobile au centre de la danse*
    (Prix Robert-Cliche 2000)
Gilbert-Dumas, Mylène, *Les dames de Beauchêne. T. I*
    (Prix Robert-Cliche 2002)
Gilbert-Dumas, Mylène, *Les dames de Beauchêne. T. II*
Gill, Pauline, *La cordonnière*
Gill, Pauline, *La jeunesse de la cordonnière*
Gill, Pauline, *Le testament de la cordonnière*
Gill, Pauline, *Les fils de la cordonnière*
Gill, Pauline, *Et pourtant elle chantait*
Girard, André, *Chemin de traverse*
Girard, André, *Zone portuaire*
Grelet, Nadine, *La belle Angélique*
Grelet, Nadine, *La fille du Cardinal*
Grelet, Nadine, *Les chuchotements de l'espoir*
Gulliver, Lili, *Confidences d'une entremetteuse*
Gulliver, Lili, *L'univers Gulliver 1. Paris*
Gulliver, Lili, *L'univers Gulliver 2. La Grèce*
Gulliver, Lili, *L'univers Gulliver 3. Bangkok, chaud et humide*
Gulliver, Lili, *L'univers Gulliver 4. L'Australie sans dessous dessus*
Hétu, Richard, *La route de l'Ouest*
Jobin, François, *Une vie de toutes pièces*
Lacombe, Diane, *La châtelaine de Mallaig*
Lacombe, Diane, *Sorcha de Mallaig*

Laferrière, Dany, *Cette grenade dans la main du jeune Nègre est-elle une arme ou un fruit?*

Laferrière, Dany, *Comment faire l'amour avec un Nègre sans se fatiguer*

Laferrière, Dany, *Éroshima*

Laferrière, Dany, *Le goût des jeunes filles*

Laferrière, Dany, *L'odeur du café*

Lalancette, Guy, *Il ne faudra pas tuer Madeleine encore une fois*

Lalancette, Guy, *Les yeux du père*

Lamothe, Raymonde, *L'ange tatoué* (Prix Robert-Cliche 1997)

Lamoureux, Henri, *Le passé intérieur*

Lamoureux, Henri, *Squeegee*

Landry, Pierre, *Prescriptions*

Lapointe, Dominic, *Les ruses du poursuivant*

Lavigne, Nicole, *Les noces rouges*

Maxime, Lili, *Éther et musc*

Messier, Claude, *Confessions d'un paquet d'os*

Moreau, Guy, *L'Amour Mallarmé* (Prix Robert-Cliche 1999)

Nicol, Patrick, *Paul Martin est un homme mort*

Racine, Marcelle, *Éva Bouchard. La légende de Maria Chapdelaine*

Robitaille, Marc, *Des histoires d'hiver, avec des rues, des écoles et du hockey*

Roy, Danielle, *Un cœur farouche* (Prix Robert-Cliche 1996)

Saint-Cyr, Romain, *L'impératrice d'Irlande*

St-Amour, Geneviève, *Passions tropicales*

Tremblay, Allan, *Casino*

Tremblay, Françoise, *L'office des ténèbres*

Turchet, Philippe, *Les êtres rares*

Vaillancourt, Isabel, *Les mauvaises fréquentations*

Vignes, François, *Les compagnons du Verre à Soif*

Villeneuve, Marie-Paule, *L'enfant cigarier*

CET OUVRAGE
COMPOSÉ EN GARAMOND CORPS 14 SUR 16
A ÉTÉ ACHEVÉ D'IMPRIMER
LE NEUF NOVEMBRE DEUX MILLE QUATRE
SUR LES PRESSES DE TRANSCONTINENTAL
POUR LE COMPTE
DE VLB ÉDITEUR.

IMPRIMÉ AU QUÉBEC (CANADA)